華中科技大學出版社
http://press.hust.edu.cn
中国·武汉

前言 Preface

欢迎你踏上这场奇妙的历史文化之旅——一次穿越时间和空间，与文物对话的机会。在这套图书中，我们将带你走进10座极富特色的中国博物馆，一窥那些见证历史沧桑、承载文明智慧的国宝。

每一座博物馆都是一座宝库，不仅收藏着数不清的历史珍品与艺术精品，更蕴含着无尽的知识和故事。在这些博物馆宁静的大厅里，时间似乎停滞了。古代工匠们的智慧和才能，历史的波澜和变迁，使得每一件展品都鲜活起来，等待着我们去发现和了解。

从甘肃省博物馆的历史厚重到首都博物馆的皇家气韵，从成都博物馆的天府风采到广东省博物馆的岭南风情，从布达拉宫的神秘庄严到敦煌博物馆的视觉震撼，从殷墟博物馆的商代遗迹到秦始皇帝陵博物院的兵马雄风，再到中国丝绸博物馆、新疆维吾尔自治区博物馆的地域特色，本套图书将为你开启一扇时光之门，带你走进一处处国家宝藏胜地。

我们深知，以一套书的有限篇幅，无法完整展现每座博物馆所有重要的国宝。于是，我们从文物的历史和文化价值、工艺水平、独特性与创新性，以及社会知名度和影响力等多方面综合考量，精心挑选了每座博物馆的20～24件最具代表性的珍贵文物。它们有的是各自博物馆的镇馆之宝，有的是某个时代的历史见证。此外，为了让读者更清晰地对文物进行了解和比较，我们将文物按不同类型来介绍。通过这些文物，读者不仅能欣赏到数千年间的艺术瑰宝，更能深入探索中华文明的发展脉络，体会历史的深度与厚重。

你即将翻阅的是殷墟博物馆分册。殷墟博物馆是商代历史的关键见证地，古老的气息弥漫在每一寸空间。馆内收藏的文物，犹如一把把钥匙，开启了通往三千多年前殷商王朝的大门。其中，精选的珍贵藏品，将带你穿越时空，沉浸式踏入殷墟遗址。这里是历史与现实的交融之所，每一件文物都镌刻着岁月的沧桑，尽显商代人的智慧与创造力。从造型精美的青铜器到刻满神秘符号的甲骨，从栩栩如生的玉器雕刻到古朴厚重的陶器，它们是历史的忠实记录者，让你在细细端详时，仿佛能听见殷商时代的回响，与古老的文明对话，感受历史文化的深沉力量。

我们相信，这不仅是一次认知和学习的过程，更是一次心灵和情感的旅行。我们希望，这套图书能够激起你对历史的好奇心，唤起你对传统文化的尊重和保护，更希望这趟文化之旅成为你心中宝贵的记忆。

目录 Contents

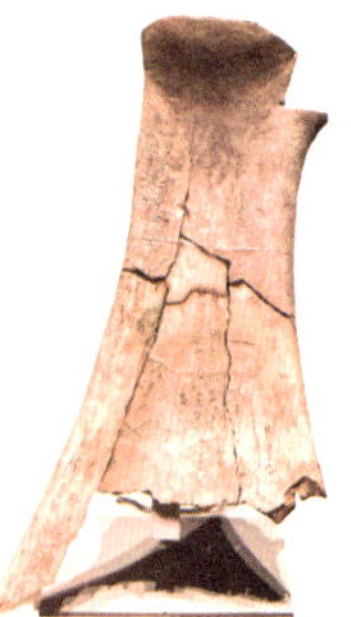

博物馆概况

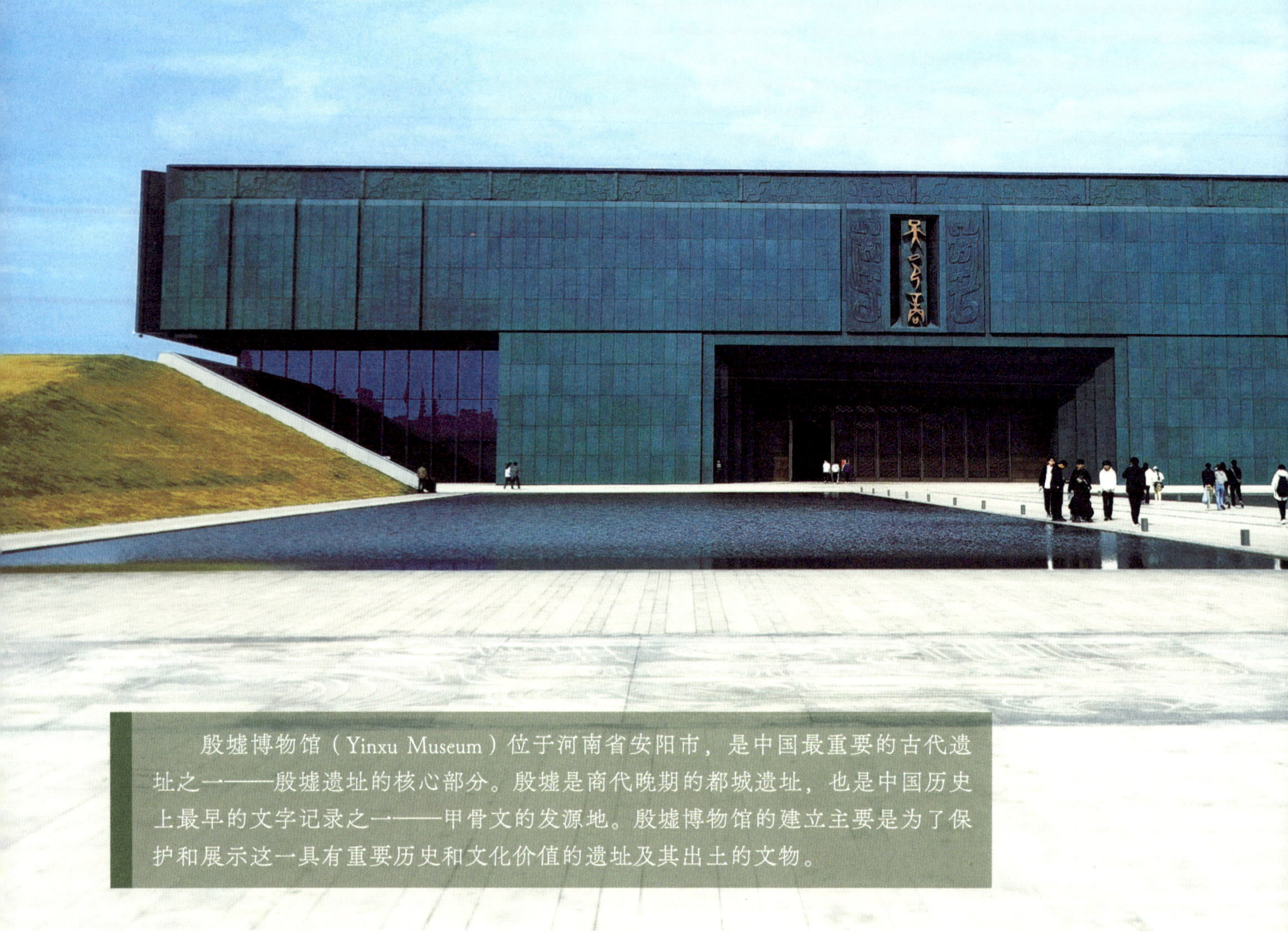

殷墟博物馆（Yinxu Museum）位于河南省安阳市，是中国最重要的古代遗址之一——殷墟遗址的核心部分。殷墟是商代晚期的都城遗址，也是中国历史上最早的文字记录之一——甲骨文的发源地。殷墟博物馆的建立主要是为了保护和展示这一具有重要历史和文化价值的遗址及其出土的文物。

位置与规模

殷墟博物馆最早建于2005年，新馆于2024年建成开放，地址位于河南省安阳市殷都区，地处洹河西岸，与殷墟宗庙宫殿区隔河相望。它是首个全景式展示商代文明的国家重大考古专题博物馆。

博物馆采用安阳市政府与中国社会科学院考古研究所央地共建模式，投入资金约10.6亿元，占地面积17.5万平方米，建筑面积5.1万平方米，展览面积约2.2万平方米，主体建筑共4层，分为地下1层、地上3层。

博物馆的新馆外观设计融合了现代与古代元素，以《诗经·商颂》为灵感来源，远观如雄伟的商代方鼎矗立在绿野之上，整体风格简洁、宏伟，同时周围有丰富的文化景观与遗址区，深度诠释了“中华之范、文明圣殿”的理念。观众不仅可以在这里欣赏到古代文物，而且能通过博物馆的人工智能、裸眼3D、数字展示等现代化的多媒体互动技术了解商代历史与文化。

发展历程

殷墟既是中国历史上第一个有文献可考的、中国最早的系统文字——甲骨文的发现地，也是商代晚期的都城遗址。2005年，殷墟博物馆动工建设。随着博物馆的不断发展，新馆于2024年建成开放，以细致、创新、全面的姿态迎接海内外游客。

○ 殷墟遗址的发现与早期发掘

早在3300多年前，商王盘庚迁都于殷（今河南安阳），史称“殷商”，商王朝在此地经历255年，随着周武王伐纣而逐渐荒废，沦为“殷墟”。

1899年，考古学家王懿荣等人在此地发现了甲骨文，掀起了甲骨研究的浪潮。1928年，考古学家开始发掘殷墟遗址；1975年，殷墟妇好墓被发现；1999年，洹北商城被发现……殷墟遗址中发现的大量青铜器、玉器、骨器、陶器及甲骨等，这些不仅是人类文化遗产，而且也为研究商代历史和文化提供了宝贵的资料。

○ 博物馆的建立与发展

随着殷墟遗址的保护需求日益增大，政府决定在遗址附近建立一个专门的博物馆，用以展示殷墟遗址及其出土的文物。1982年，殷墟博物苑的建设工程正式启动。

1987年9月，殷墟博物苑正式对外开放，2006年更名为安阳市殷墟宫殿宗庙遗址管理处。2005年3月，殷墟博物馆动工，同年9月开馆，大量此前未公开展示过的文物走到公众面前。自2019年以来，当地积极推进机构改革，安阳市殷墟宫殿宗庙遗址管理处更名为殷墟博物馆（殷墟研究院）。

新馆的建立与创新

2020年，对殷墟遗址开展进一步发掘，殷墟博物馆新馆开工奠基，并于2024年正式对外开放。新馆秉承着锐意进取的精神，积极与现代化接轨，馆内设置8大展厅，展示殷墟出土的珍贵文物近4000件，其中四分之三为首次亮相。新馆开馆以来观众络绎不绝，截至2024年4月18日接待总人数已达23.4万。除了珍贵文物与创新的数字技术以外，新馆3楼还建设有长达百米的观景长廊，观众可从此处欣赏到由殷墟遗址与洹河共同构成的“历史画卷”。

藏品概况

殷墟博物馆的主要展品包括大量的青铜器、玉器、陶器、甲骨、铭文，以及其他商代的文化遗物。尤其值得一提的是，殷墟出土的甲骨文，这些刻在龟甲或兽骨上的文字，已成为解读商代社会、政治、经济及宗教生活的重要依据。

殷墟博物馆新馆馆藏丰富，馆藏青铜器主要为礼器、兵器和实用器具等，代表文物有司母辛鼎、“马危”折肩尊、亚长铜方尊等。殷墟遗址同样出土众多珍贵文物，在商代的祭祀与生活中起到重要作用，不仅有各类造型凝练的玉凤、玉熊，而且有代表着身份的玉璧。而出土的陶人俑、海贝则展现了商代祭祀活动及货币交易。

数量庞大的馆藏甲骨可谓是殷墟博物馆的参观重点，其中仅在1936年发掘的YH127坑中就出土了甲骨1.7万余片，而馆中展示的花园庄东地H3甲骨窖藏坑出土的110余片甲骨则在一定程度上为我们解读了商代贵族的娱乐、生产、生活情况，对于研究商代的政治、经济、文化等多方面历史具有重要的实物文献价值。

展览设置

殷墟博物馆新馆内共设有8大展厅，以『伟大的商文明』为主题，分设3个基本陈列、4个专题展览，以及一个沉浸式数字展览。从殷墟的考古发掘、商代历史发展，以及殷商文化在世界的发展传播等多个维度展现了商代文明及精美文物。

○ 基本陈列

基本陈列分为“探索商文明”“伟大的商文明”“世界的商文明”三个单元，向中国及世界展示了殷墟遗址的辉煌过往。

探索商文明

探索商文明单元主要以对殷墟的探索为主题，展示了殷墟遗址及周边地区的考古发现。同时，以殷墟在考古学理论与实践形成发展过程中的重要作用为辅线，肯定了殷墟遗址发掘在考古学发展中的重要性。

伟大的商文明

伟大的商文明单元以历史脉络讲解结合文物展示的方式全方位展示了商代“家国同构”的社会秩序、“礼制严谨”的青铜文明，以及以甲骨文为代表的汉字文化，再现了商代在政治、经济、文化等多方面的发展进程。

世界的商文明

殷墟遗址的发掘不仅在中国考古历史上具有重要价值，而且具有重要的国际意义。在海内外学者的积极探索研究之下，在与海外众多远古文明的对比互鉴之下，更显示了商文明的独特东方魅力。

○ 专题展览

馆内的专题展览包括“车辚辚　马萧萧——殷墟车马遗迹展”“子何人哉——殷墟花园庄东地甲骨特展”“长从何来——殷墟花园庄东地亚长墓专题展”“商史再现　文脉流芳——商代简史展”，还原了商代的历史、文化与生活。其中，车马遗迹展不仅展示了众多马车构件，而且将含有中国最早的实物车马标本的车马祭祀坑搬入展厅，颇为震撼；在甲骨特展中，则通过解读商王武丁之子大量问卜的甲骨，向我们还原了一部商代的“王子日记”。

博物馆展览分布图

长从何来——殷墟花园庄东地亚长墓专题展厅（3F）

13 亚长牛尊
14 亚长铜方斝
15 铜手形器
16 铜钺
17 兽首铜刀
18 玉戚
19 玉熊
20 玉鱅
21 金箔

子何人哉——殷墟花园庄东地甲骨特展（3F）

22 “子其入学”刻辞卜甲

伟大的商文明展厅（2F）

1 司母辛鼎
2 司㚸母方壶
3 亚䀇铜甗
4 铜弓形器
5 嵌绿松石骨虎
6 嵌绿松石骨蛙
7 鸟形骨刻刀
8 跪人藏龟
9 小屯南地2172号甲骨
10 嵌绿松石刻辞骨柶
11 陶人面范
12 陶人面盖

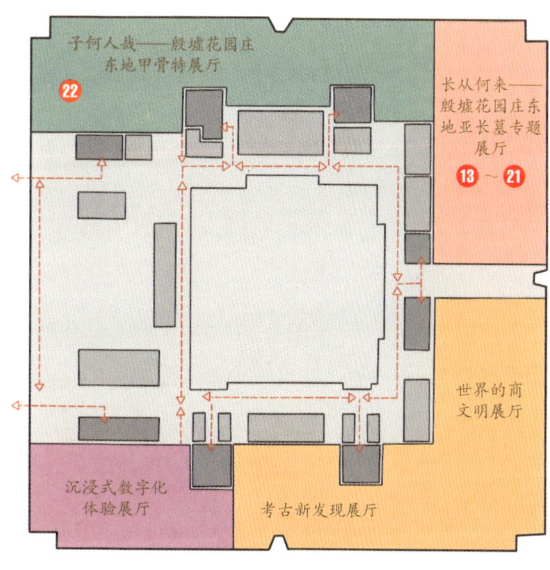

3层

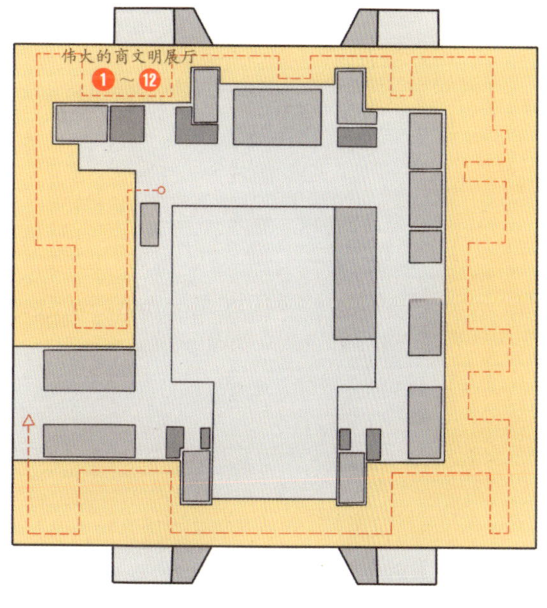

2层

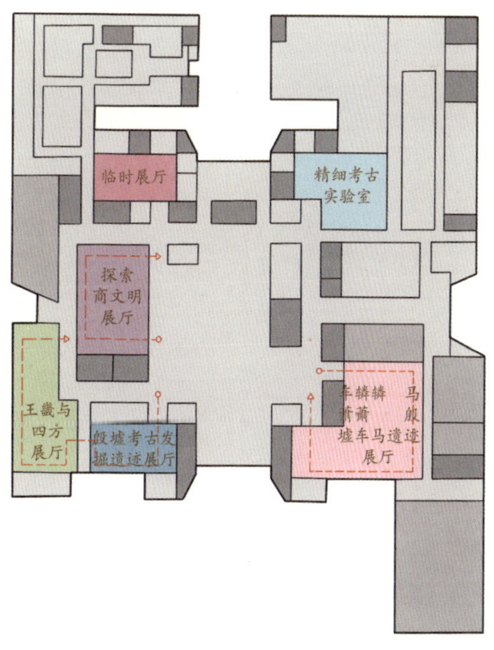

1层

注意 本书中的文物所在位置是以作者写作阶段的位置为参考标注，由于各博物馆经常会有临时展览或巡回展，所以无法保证器物位置固定不变，请各位读者知晓，以实际的参观情形为准。殷墟博物馆部分文物偶尔会“出差”到其他博物馆展出，因此无法确定固定展览地点。同时，由于博物馆采取安阳市政府与中国社会科学院考古研究所央地共建模式，因此部分文物归属于中国社会科学院考古研究所。

镇馆之宝

司母辛鼎

小屯南地2172号甲骨

铜手形器

亚长牛尊

司母辛鼎

战神妇好的身份象征

国宝名称：司母辛鼎
所属年代：商
出 土 地：安阳殷墟妇好墓

这件司母辛鼎通高80.1厘米，口长64厘米，宽48厘米。

该文物名称来源于鼎内部所铭刻的铭文——司母辛，是商王武丁的妻子之一妇好的陪葬品，是武丁与妇好的儿子为了纪念母亲所铸造。铜鼎大气厚重，造型庄重，作为商代青铜器的重要代表之一，司母辛鼎不仅是研究商代历史的实物证据，而且展现了此时期精湛的铸造技术，对后代青铜器的制造、铭文的解读、商代政治宗教生活的研究有重要的启示作用。

铜鼎的内壁以金文铭刻有清晰的“司母辛”三字，其中“辛”为妇好的庙号，“母辛”则是其子对母亲的敬称。

司母辛鼎鼎身为长方形，短沿方唇，鼎两侧边沿立有两耳，器腹平直，下端略收，下部连接四个圆柱形的透底空心足，每足足孔深28厘米。口沿下方及四足装饰兽面纹，鼎身下部装饰乳钉纹，整个铜鼎造型华丽，与殷墟出土的“后母戊鼎”同为珍贵的商代青铜重器。

口沿下方及转角处装饰兽面纹，以短棱为界对称排列，四转角纹样以长棱为界并向下延伸。兽面纹又称“饕餮纹”，是集合各类动物特征的抽象纹样，具有狞厉庄重之美，常见于商代及西周时期的青铜器上。

乳钉纹整齐地排列在器壁。乳钉纹作为一种装饰性纹样在商代青铜器上经常出现。

鼎下四足的上端同样装饰兽面纹，相较于口沿下方的纹样，鼎足的浮雕兽面纹依弧形立体地塑造其上。兽口向下大张，兽眼呈“目”字形，兽耳立起，极具震慑性。

器物小知识

司母辛鼎与后母戊鼎

提到殷墟出土的司母辛鼎，自然会联想到有着“中华第一鼎”之称的后母戊鼎，后母戊鼎是商王武丁的妻子之一妇妌（祖庚或祖甲之母）的陪葬品。妇好去世较早，其子祖己亦被商王流放，早早去世。因此，后母戊鼎无论在体量上还是纹饰上都比司母辛鼎更加庞大细致。

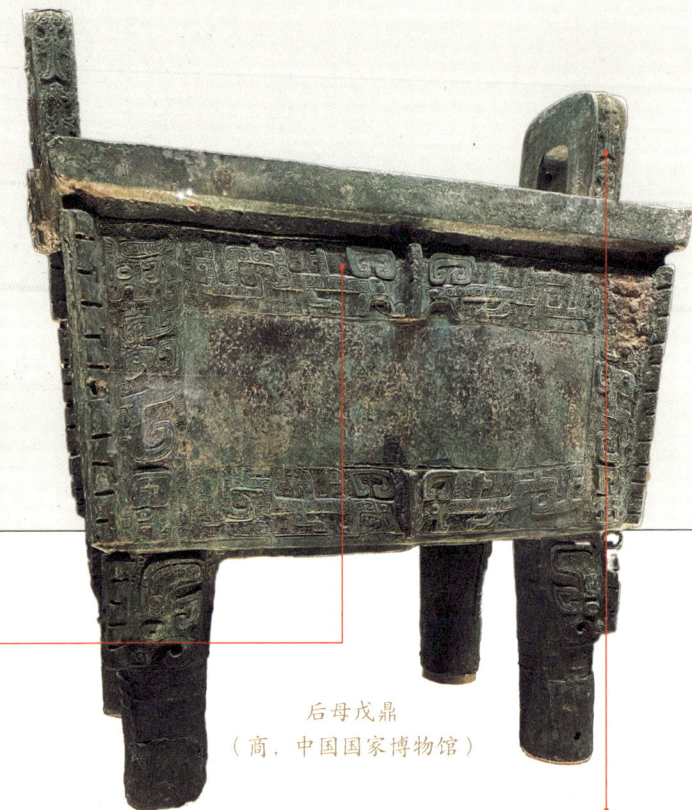

后母戊鼎
（商，中国国家博物馆）

后母戊鼎上方的兽面纹由两条对称的夔龙拼合而成，这种长身兽面纹又被称为“肥遗纹”。而司母辛鼎上的兽面纹则更为紧凑。

立耳装饰虎食人纹，有辟邪驱恶的寓意，两只立虎张口欲啖食人首，但人首并没有恐惧的神态。

司母辛鼎

相同点

两件铜鼎都为方鼎，形制相似，口沿下方四面及折角都装饰有兽面纹并以扉棱为界对称排列，四足都装饰有浮雕兽面纹，且都是商王之子为了纪念自己的母亲所铸造，精美庄重。

不同点

相较于司母辛鼎，后母戊鼎的体型更大，纹饰更为精美复杂。后母戊鼎口沿下方的兽面纹更为狭长，器身装饰立式夔龙纹，立耳雕刻纹饰，而司母辛鼎器身装饰简约的乳钉纹，立耳上未装饰纹饰。

妇好墓中的“明星文物”

拓展话题

作为商王武丁的三位妻子之一，妇好是商代征战四方的一名女将，同时也是商代最高级别的女祭司。对其事迹的了解主要源于殷墟出土甲骨文上的记载，可惜妇好仅活了33年便离世了。她的墓葬位于殷墟边界处，保存完好，陪葬品丰富，墓中出土了大量的青铜器、玉器及甲骨。其中，妇好鸮尊最知名。

妇好鸮尊（商，河南博物院）

妇好鸮尊

妇好鸮尊，于1976年在安阳殷墟妇好墓中出土，原器出土时为一对两只，分别收藏于中国国家博物馆、河南博物院。鸮的原形就是猫头鹰，是被古代先民神化的鸟，以鸮形制尊，反映了殷商先民对鸮鸟的崇拜。

妇好铜钺（商，中国考古博物馆）

玉凤（商，中国国家博物馆）

妇好铜钺

这件精美的铜钺体形硕大，纹饰精美。它并不是实战兵器，而是妇好作为军事统帅的权力象征。

玉凤

这件出土于妇好墓的玉凤线条柔美，造型凝练。殷墟出土玉龙多件，但玉凤仅此一件，因此弥足珍贵。

此尊为武丁为奖励妇好军功所铸，其上还专门铭刻了妇好的名字。

小提示

关于殷墟出土的两件铜鼎的定名，学术界至今仍有争论，郭沫若曾将“后母戊鼎”取名为“司母戊鼎”。随着考古发现的增多，考古资料也越来越健全，证实商王武丁时期“司”“后”二形均是“后”字之意，2011年中国国家博物馆将“司母戊鼎”更名为“后母戊鼎”。目前，殷墟博物馆的这件仍以“司母辛鼎”定名。

司母辛鼎铭文

后母戊鼎铭文

小屯南地2172号甲骨

国宝名称：小屯南地2172号甲骨
所属年代：商
出土地：安阳小屯南地甲骨窖穴

这件甲骨是殷墟出土众多的甲骨中的一件，为残断的牛肩胛骨。其上记录有93个单字，内容皆围绕占卜商王外出狩猎是否有灾祸这一主题，文字清晰，大小均匀，契刻有力，品相优美，展现出了较高的刻写水平。

甲骨上关于商王田猎的卜辞，能让我们了解到当时的田猎活动，以及商王对田猎安全的重视，也从侧面反映了田猎在商代社会中的重要地位，同时对于研究汉字的起源和演变具有重要意义。

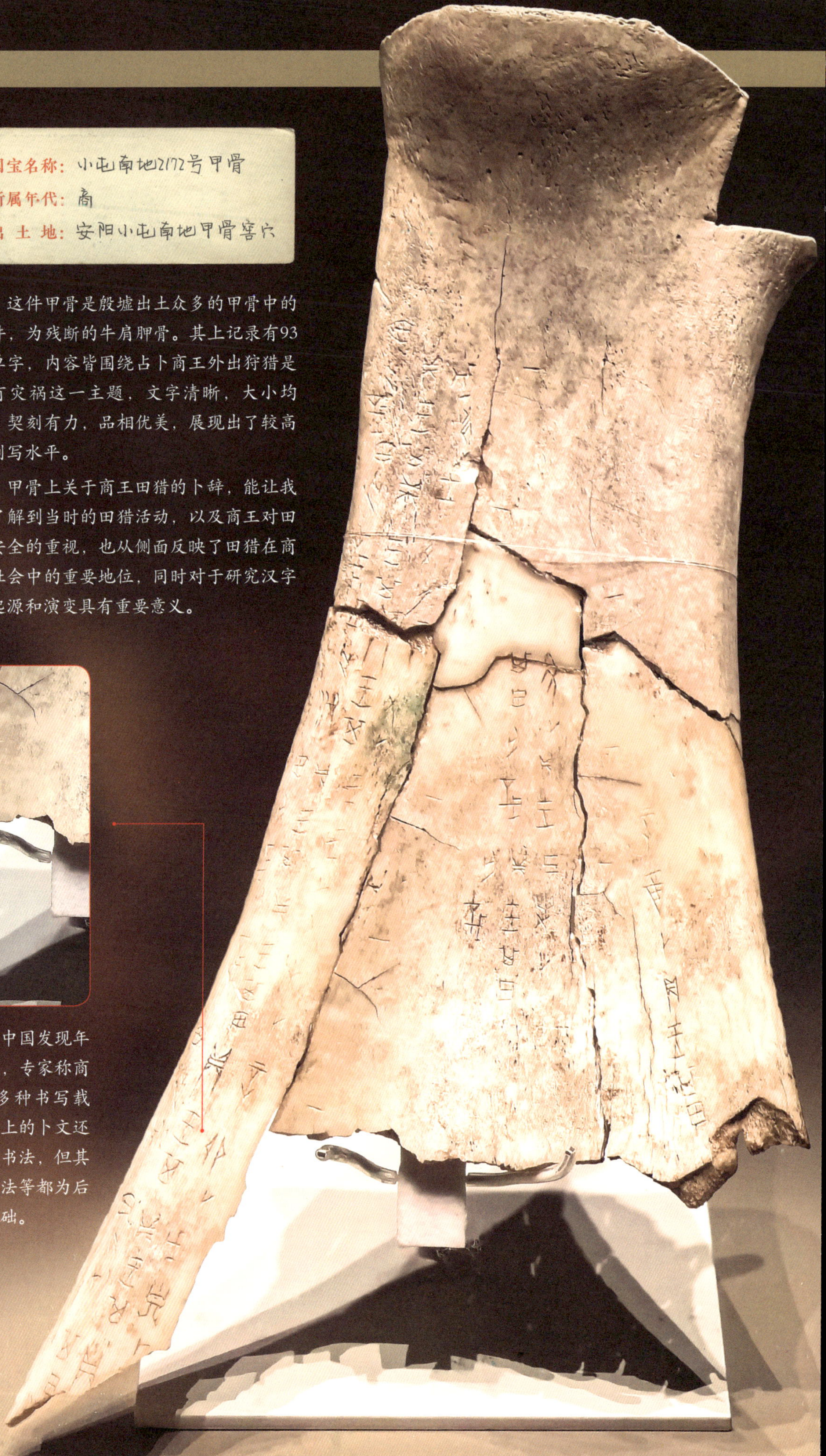

甲骨文是迄今为止中国发现年代最早的成熟文字系统，专家称商代应有竹简、布帛等多种书写载体，因此严格来说甲骨上的卜文还不能称为严格意义上的书法，但其中的结构、笔画、造字法等都为后世汉字的发展奠定了基础。

该甲骨上方有明显的切割痕迹，下方残断，卜辞依甲骨正面的卜兆整齐地排布刻写，文字清晰整齐，时间记录明晰，不仅对于了解当时贵族的日常生活及田猎生活有重要作用，而且也是商代干支纪年的重要实例。

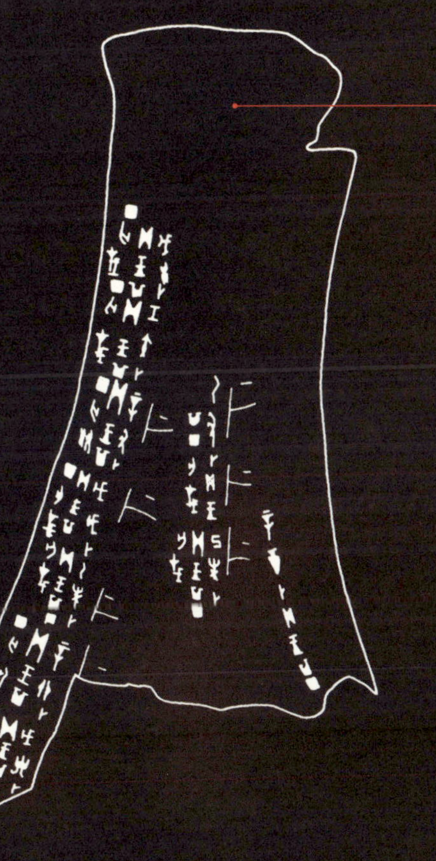

甲骨上的93字分为11条卜辞，占卜时间分别为戊子、辛卯、乙未、戊戌、辛丑、壬寅、戊申、己未、辛酉、乙丑。从时间上推断，短短30多天内商王11次外出狩猎，频率极高，这也从侧面反映了该时期商王正值盛年，且朝局稳定，才有精力如此频繁地狩猎。

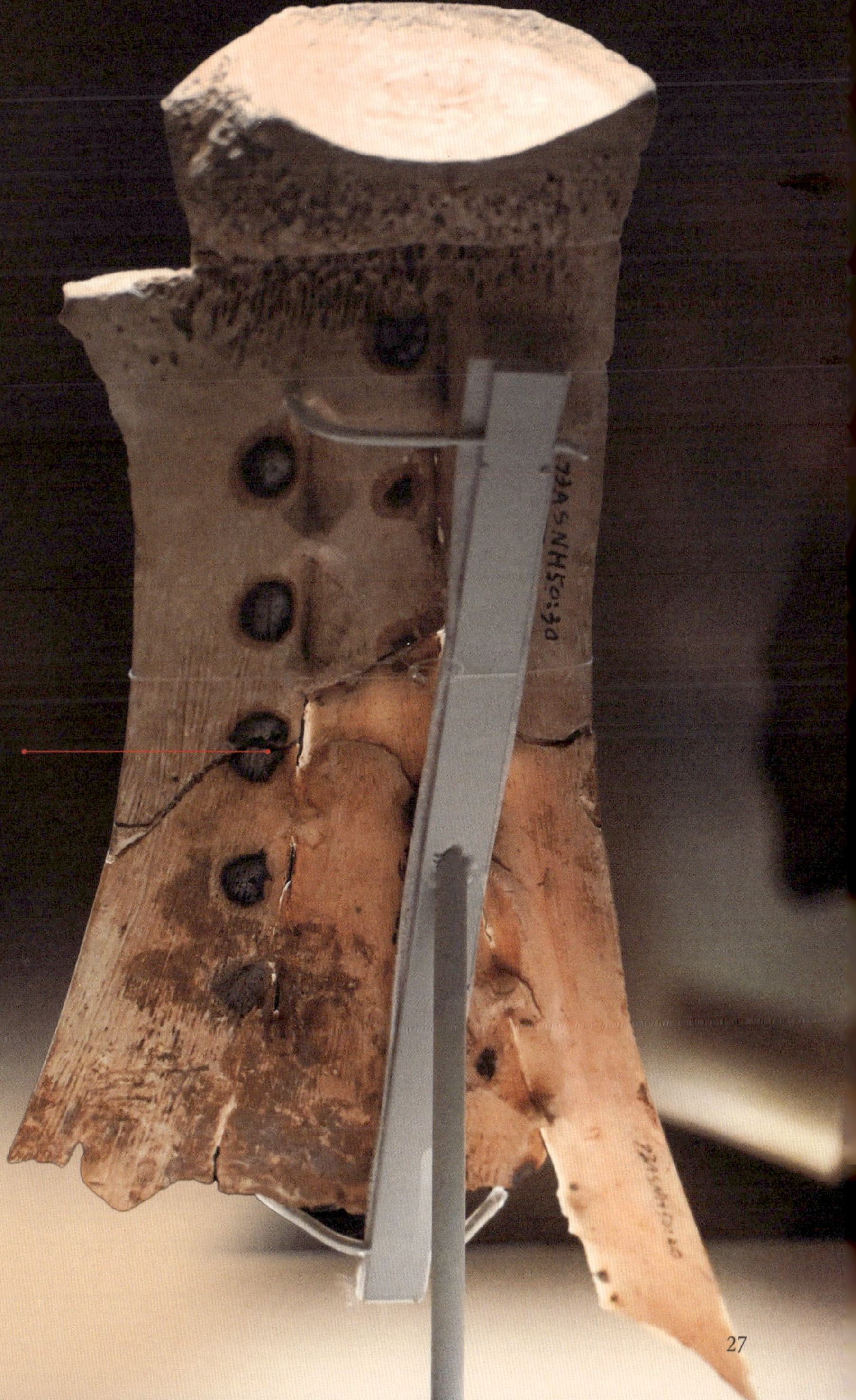

商代人好占卜。甲骨上规则地分布着一些小孔和灼烧的痕迹，这些痕迹是当时占卜时用火灼烧留下的。通过灼烧甲骨背面，其正面会出现“卜兆”，即一条上下走向的裂痕加上一条横向或者带一些角度的裂痕，组合在一起像一个“卜”字。

小提示

1973年安阳小屯南地的甲骨发现，是中华人民共和国成立后最大的一次甲骨发现，考古工作者认为这或许就是当时的“档案库”。2172号甲骨作为其中之一，见证了当时的占卜制度和档案管理方式，对于研究商代的占卜文化和信息记录、保存方式提供了实物依据。

铜手形器

功用神秘的铜手

铜手形器微屈半握，手部的关节造型准确，呈现出高超的铸造技艺和艺术水平。

国宝名称：铜手形器
所属年代：商
出 土 地：安阳殷墟花园庄东地M54

这件铜手形器长度约13.03厘米，重0.1千克。它是现今出土的唯一一件青铜手。这件铜手出土于亚长（“亚”指带兵打仗的武官，“长”是墓主人的家庭姓氏。亚长，即墓主人。）墓之中，亚长征战沙场被砍断一只胳膊，且铜手位于墓葬中遗骨右手的方位，随其出土的还有骨质锥形器，根据专家推测，这件铜手形器很可能是亚长的义肢，也有说法称此器物为亚长身份权力的象征。但无论是何功用，这件稀有的铜手可谓弥足珍贵，不仅丰富了青铜器的器型，而且为探索商代青铜器中的象征性表达提供了依据。

这件铜手形器仿造成人右手塑造，手心内凹，手背隆起，手臂中空，指尖圆滑，比现代成年人手掌略小，但比例与形状皆塑造得十分逼真。铜手内部发现有残留的碳化木柄，为其义肢或权杖的说法提供了有力印证。

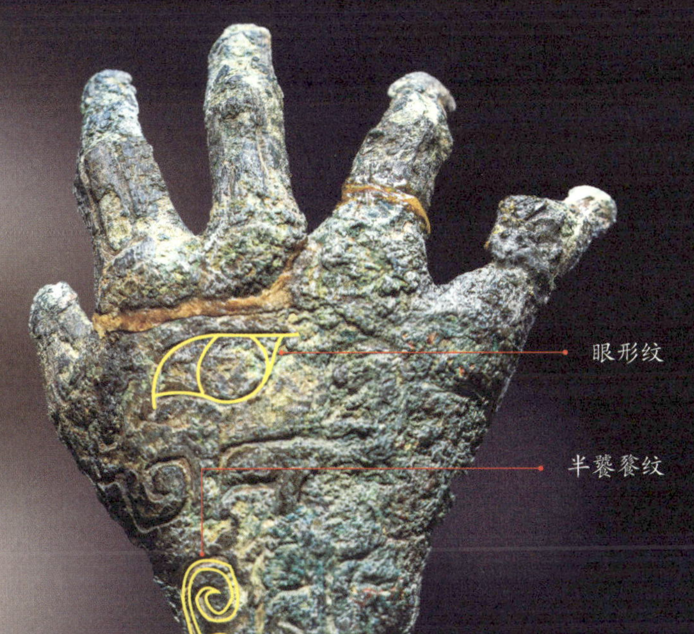

手作为人体最具表现力的部分之一，充满了力量与情感的表达。铜手微屈的动势仿佛从遥远的殷商伸向现代，跨越3000多年向我们示意。

铜手形器上满布细密的纹饰，包含眼形纹及半饕餮纹，在这些装饰性纹样的加持下铜手更显神秘而华丽。

小提示

在挖掘出土的亚长遗骨上发现有多处伤痕，可见其在战场上的勇猛，而商王也对这名大将十分喜爱，在不足20平方米的墓葬中，共出土577件陪葬品，不仅包括15个殉人和15条殉狗，还有觚爵9套、青铜器200余件……足见其生前身份显赫。

殷墟博物馆内展示的亚长墓出土的成套青铜器

亚长牛尊

憨态可掬的牛形酒器

这件亚长牛尊通长40厘米，带盖高22.5厘米，重7.1千克。

这件牛尊是亚长墓中出土的一件牛形酒器，也可能作祭祀之用。牛在商代社会中占据了重要地位，不仅是农业社会的主要劳动力，还在祭祀中扮演着重要角色。这件牛尊造型逼真，纹饰华丽，不仅是一件器物，更是对古代文化、宗教和信仰的生动再现，为我们提供了珍贵的历史资料，是了解商代文明的重要实物之一。

这件亚长牛尊整体模仿了真实水牛的外观，牛头、牛角、牛蹄和牛身的细节雕刻精细，形象栩栩如生。尊体表面雕刻有细腻的龙、鸟、鱼等纹饰，牛身健硕，充满力量感，表现出极高的工艺水准。

牛身以云雷纹打底，饰龙纹、鸟纹、象纹、虎纹，两侧的虎纹最为醒目，且虎目突出于器表。这件文物以牛身为载体，承载多种动物纹，体现了商代人的原始崇拜。

在牛尊的铜盖内部及脖颈下部，铭刻有“亚长”字样，印证了墓主人的身份。

牛的头部设计得非常生动，牛角自然弯曲，眼睛微凸，张开的牛嘴仿佛要啃咬地上的青草，展现出一种威武且有力量感的造型。

龙纹

馆藏文物

青铜器

甲骨器

玉石器

其他文物

279

青铜器

BRONZE WARE

亚䏰铜甗

盛装人头的铜锅

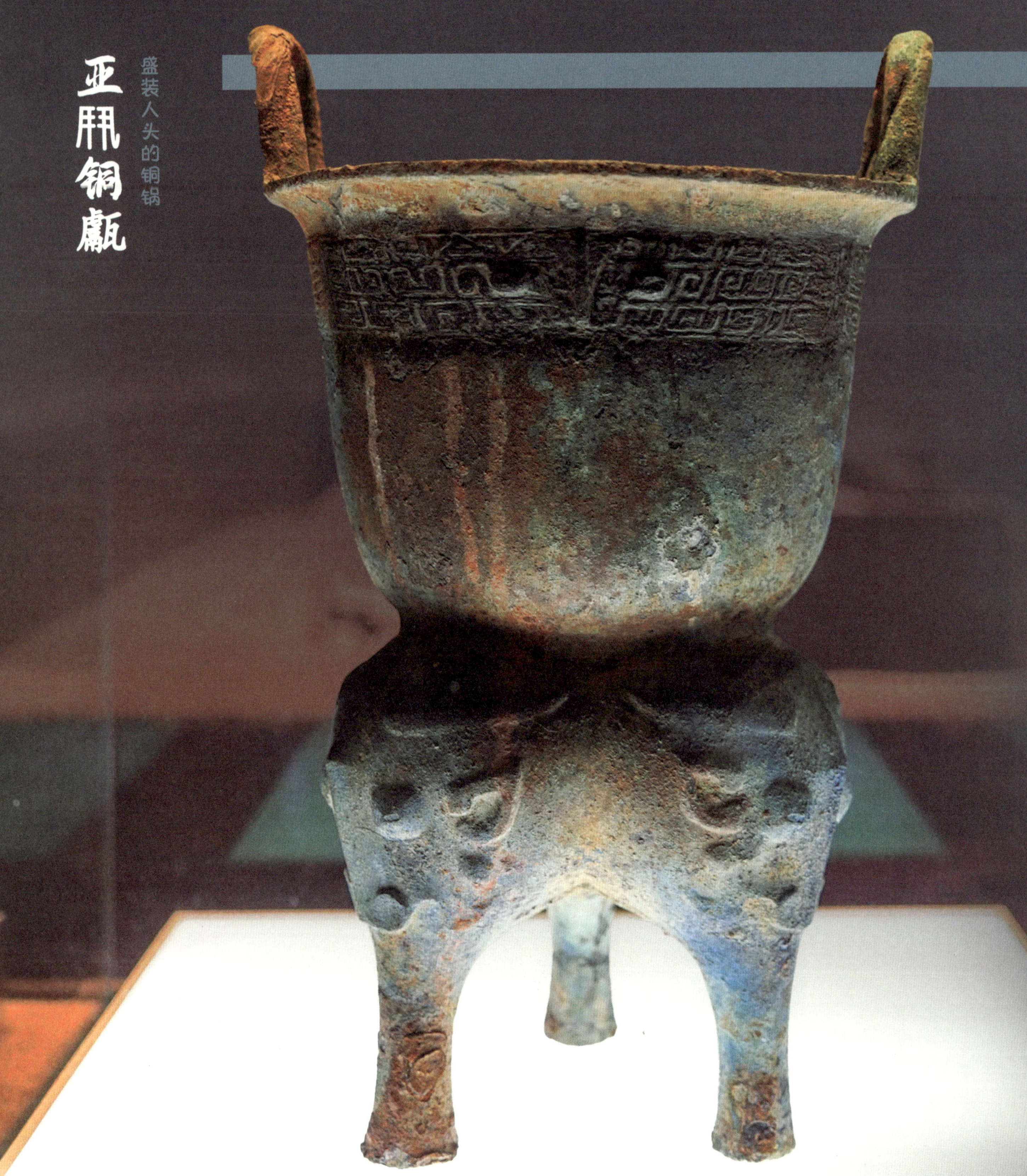

这件亚䏰铜甗出土于1999年，铜甗为商代时期的炊具，由上部的“甑”和下部的“鬲”合铸而成，中间隔有带孔洞的箅子，类似于现代的蒸锅，铜甗内刻有“亚䏰”二字，由此得名。

国宝名称：亚䏰铜甗
所属年代：商
出 土 地：安阳刘家庄北地M1046

出土时铜甗内部装有一颗头骨，很可能与商代祭祀仪式有关。通过这件青铜器，我们不仅可以看到商代青铜器的精美，而且通过对其内部所装头骨的分析，可以印证当时的社会制度、历史战争与祭祀习俗等，具有重要的历史价值。

这件铜甗保存完好，侈口，口沿上有对称两立耳，甑腹上部装饰浅浮雕兽面纹，甑的下腹未饰纹样，让整体奇特诡秘的装饰多了一丝简朴，也使纹饰分布更加和谐。铜甗下部三个袋形足整体器型简约，纹样精美。

甑腹上部饰兽面纹，兽面展体铺开。双目圆睁，分饰鼻梁两侧，兽目凸出，拉近观众视线，减弱了纹样的平铺感。

下部三足以浮雕的形式装饰牛角兽面纹，制作精良。牛角、牛眼、牛嘴采用了浮雕的技法，凸出于器表，简练生动地展现出牛的特点。

小提示

妇好青铜三联甗（商，中国国家博物馆）

铜甗是商周时期常见的青铜炊具，在妇好墓中还出土了一组三联甗，由三件大圆甑与一件长方形承甑器组成，可以同时烹煮三份食物，在当时是较为稀少的形制。

突目铜面具（商，三星堆博物馆）

器物小知识

商代南方地区的青铜器

安阳是商代的都城所在，得益于此，殷墟出土了大量精美的青铜器。北方地区的青铜器主要集中于河南、陕西等地，而南方地区的赣江流域、湘江流域和成都平原在商代亦出现了较为发达的青铜文化。相较于北方地区青铜器的造型浑厚，南方地区的青铜器造型则更为奇诡神秘。

兽面纹鹿耳四足青铜甗（商，新干县博物馆）

赣江流域

这件兽面纹鹿耳四足青铜甗出土于江西省新干县大洋洲商墓。同一墓葬共出土青铜器475件。

湘江流域

这件大禾人面纹方鼎，出土于湖南省宁乡市黄材镇炭河里乡胜溪村，器身外表四周饰半浮雕的人面。商周青铜器中以人面纹为装饰的较少，这是全国唯一一件以人面为饰的鼎。

青铜神树（商，三星堆博物馆）

成都平原

三星堆遗址位于四川广汉地区，殷墟出土的甲骨文中，偶尔可见“蜀”字样，其中既包括了和平的交流，又不乏战争的硝烟。三星堆遗址出土的突目铜面具、青铜神树等青铜器造型夸张而震撼，丰富了青铜器的器型。

大禾人面纹方鼎（商，湖南博物院）

残忍的商代祭祀文化

拓展话题

商代鸿蒙未开，人们认为通过向神灵献上最好的祭品，能得到神明的庇护，有的甚至将人畜作为祭品。这体现了他们对神灵的极端崇拜和敬畏，也反映了当时神权至上的社会特点。人们通过这种残忍的方式祈求神灵赐福以保佑国家安宁、战争胜利等，实则是寻求虚无缥缈的心理寄托。

『子其入学』刻辞卜甲（商，中国社会科学院考古研究所）

祭祀主持者

祭祀活动的主持者往往为商王和巫师，仪式开始前巫师会进行占卜，随后在祭坛和宗庙准备祭品，进行祈祷及乐舞等祭祀活动。随后将祭品焚烧或掩埋，结束祭祀活动。

三星堆出土的青铜立人像被认为是神、巫、王三位一体的权力象征。

青铜立人像（商，三星堆博物馆）

祭祀品

祭祀活动的祭品有青铜器、陶瓷、玉器等精美器物，还有谷物、美酒等饮食，更为残忍的还以猪、牛、羊等牲畜，以及人类殉葬，其中的人类多为奴隶和俘虏。

祭祀对象

商代祭祀活动的对象往往为先祖与神明，祭祀活动以家族为单位进行，强调了家族成员之间的血缘关系和传承。例如这件“子其入学”刻辞卜甲上就记录了“子”入学的相关事宜。

殷墟遗址发掘的大规模车马殉葬坑

商代的祭祀文化奠定了后世祖先崇拜的基础。随着民智开化，秦汉时期便已采用人俑取代残忍的活人祭祀。祭祀文化一直延续至今，随着科学的发展，人类破除了封建迷信，更多通过在年节祭祀祖先来表达对先人的敬意和感恩。

元宵节燃灯祭祀起源于汉代一直延续至今

铜钺

显赫军功的见证

国宝名称：铜钺
所属年代：商
出土地：安阳殷墟花园庄东地M54

这件铜钺通高40.5厘米，重5.96千克。

在亚长墓中共出土了7件铜钺，为殷墟出土铜钺数量最多的一座墓葬，其中有6件上方都铭刻有“亚长”字样。钺是身份地位的象征，只出土于贵族墓葬之中，至西周晚期消失。铜钺的出土也显示出亚长的尊贵地位与赫赫战功。铜钺上方的龙、凤纹饰华丽而富有动感，赋予了铜钺独特的艺术美感，也展现了商代青铜工艺的高超水平。

在“亚长”铭文的两侧装饰有夔龙纹。

内

穿

肩

龙凤相互组合，既体现了商代人的信仰，又具有装饰美感。

身

刃

这件铜钺体型宽大，形态雄伟，长方形内部和肩部分别设有一个圆形和两个长方形的穿孔，用于捆绑手柄，使握持更加牢固，便于在战斗中使用。刃部外侧较长而内侧较短并向内收敛，这种设计符合力学原理，在劈砍时能够集中力量。但是墓葬中出土的铜钺并非都用于实战，更多作彰显权力身份之用。

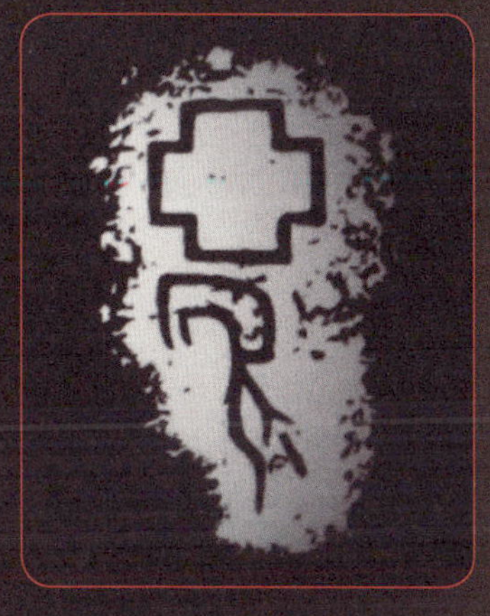

在商代，钺是军事权力的象征，与军事指挥权和王权紧密相连。

铜钺主要采用了浮雕和线刻等技法，在正面的中心部分装饰有一只小的夔龙，夔龙是古人对神秘神灵的形象化表达，显示了古人对超自然力量的敬畏和崇拜。

正面左右两侧各有一对突出的钩喙玄鸟纹，下方则是一对夔龙纹。《诗经·商颂·玄鸟》中有“天命玄鸟，降而生商”的记载。玄鸟纹承载着商代人对祖先的崇敬和对本族起源的神圣认知。

亚长铜方斝

亚长的华贵酒器

上部装饰蕉叶纹，其下方饰对称夔龙纹。

这件亚长铜方斝通高66.6厘米，重22.15千克。

这件铜方斝同样是亚长墓出土，器口呈方形，口沿内侧刻有“亚长”铭文。铜方斝上设立柱，侧面连接兽形錾，具有典型的商代晚期斝的特征。这件文物造型精美华丽，保存良好，不仅展现了高超的制作工艺，而且对于了解不同时期青铜器器型的演变具有参考意义。

国宝名称：亚长铜方斝

所属年代：商

出 土 地：安阳殷墟花园庄东地M54

方斝器口呈长方形，腹壁较直，腹部一侧饰有兽头鋬，方便握持，平底之下四足呈四棱尖锥状，稳固而有力，使整个器物显得挺拔、威武。周身以云雷纹为底纹，线条规整、细密，犹如天空中翻滚的云海，为整个器物营造出一种庄重而神秘的氛围。

四周的兽面纹以扉棱为界在各面以浮雕的形式对称排布。兽面双耳挺立，造型神秘、威严，怒目圆睁，依附在体形硕大的器身之上更为震撼，仿佛在诉说着古老的神话传说，展现出商代青铜器纹饰的独特魅力。

斝是青铜器器型之一，是古人用于盛酒、温酒的酒器，由新石器时代陶斝发展而来。商汤打败夏桀之后，斝被定为御用的酒具，也被用作礼器。

口沿上有对称的方塔形立柱，增强了器物的层次感和立体感，立柱上刻有细密的云雷纹。

方斝侧面的兽头鋬极富动感，兽头采用圆雕的形式，位于鋬手上方，两个兽耳高高挺立，双目突出，兽头高昂，同时期的铜斝上大多装饰有兽首。

兽首铜刀

精巧的战利品

虽然兽首铜刀在地下掩埋了3000余年，已经锈迹斑斑，但还能依稀看到猛兽身上装饰的细密的云雷纹，纹样线条流畅，形态蜿蜒，似在游动，为铜刀增添了灵动之感。

国宝名称：兽首铜刀
所属年代：商
出 土 地：安阳殷墟遗址

殷墟地区出土了众多兽首青铜刀具，这些铜刀尺寸不一，一般刀身长度30厘米至50厘米。

这件兽首铜刀刀柄为一俯身张口的猛兽，兽形柄与铜刀一体成型。兽首铜刀融合了中原文化和草原文化的元素，体现了不同文化之间的交流与融合，对于研究商代的文化传播、民族迁徙，以及不同地区之间的贸易往来等具有重要意义。同时，兼具艺术性与实用性的铜刀也显示出古人独特的审美。

兽首铜刀的外形简约，猛兽翘起的尾部巧妙地形成了铜刀的刀锋部分，既展现出猛兽在机警状态下的体貌特征，富于艺术性，又结合了铜刀实用的功效。它打破了传统铜刀单一的直线型设计，为铜刀增添了独特的曲线美，使整个铜刀更具动感和流畅性。

铜刀一体成型，上方雕刻细密的纹饰，不同于其他马首、鹿首铜刀仅以兽头部分作为刀柄。这件铜刀以猛兽的整体身躯为原型塑造刀身，巧妙地将兽尾与刀身相结合，浑然一体，展现出不同于中原的草原民族艺术风格。

小提示

在出土的众多殷商刻辞卜骨中，记载有商王武丁与太行山及冀北地区的北方族群频繁交战的信息，同时，还记载了中原地区与草原地区之间的贸易往来信息。战争与贸易不仅仅是物质的交换，还伴随着文化的传播与交流。带有草原元素的青铜刀可能通过贸易渠道传入殷墟地区，成为文化交流的实物见证。

马首铜刀（商，中国社会科学院考古研究所）

以猛兽为造型的兽首，双目圆睁，眼珠突出，透露出凶猛和威严的气息，仿佛正在凝视猎物。兽口大张，露出锋利的牙齿，给人以强烈的视觉冲击力，凸显出猛兽的凶猛本性。

古老的殷墟遗址

殷墟遗址是中国商代晚期的都城遗址，公元前1300年左右，商王盘庚为扭转困局，率众从奄都（山东曲阜）迁都至河南安阳，称为殷都，直至帝辛覆亡，商王朝在建都殷后共经8代12王，历时273年。

宫殿宗庙遗址

宫殿宗庙遗址位于河南安阳小屯村东北，是殷墟的核心区域之一，已发现110余座宫殿宗庙建筑基址。这些建筑基址布局严谨，用夯土筑成台基，规模宏大，是商王处理政务和举行祭祀等活动的场所。且殿宇基本采用“前朝后寝，左祖右社”的建筑格局。

宫殿宗庙遗址景区大门

王陵遗址已发掘的祭祀坑中散落的大量青铜器

王陵遗址

洹河北岸的武官村北地，是殷商王朝的皇家陵寝区，王陵大墓规模巨大，墓室结构复杂，有四条墓道、两条墓道和一条墓道等不同形制，体现了商代严格的等级制度。此外，遗址内还有数量庞大的活人祭祀坑。

活人祭祀坑中可见大量尸骨

洹北商城遗址

洹北商城遗址位于洹河北岸，是近年来重要的考古发现之一。遗址平面呈方形，城墙保存较为完整，与宫殿遗址有所重叠。此外还有手工业作坊遗址等，为研究商代都城的布局和发展提供了新的资料。

遗址内发掘出数量庞大的铅锭，总重达3.3吨，这些铅锭如果按照制作青铜器的铜铅比例，可以制作出60件后母戊鼎。

海贝是商代的贸易货币，无论是贵族墓葬还是平民墓葬中都有出土，是财富的象征。出土的海贝多穿孔洞，很可能是像铜钱一样被串起来使用。

拓展话题

重要文物分类

殷墟出土文物中，甲骨是最具价值的文物之一，已发现约15万片。其次，青铜器种类繁多，有礼器、兵器、生活用具等。另外，玉器造型丰富，有玉人、玉龙、玉凤、玉鸮等各种装饰品和礼器。此外，还有陶器、海贝等生活用具。

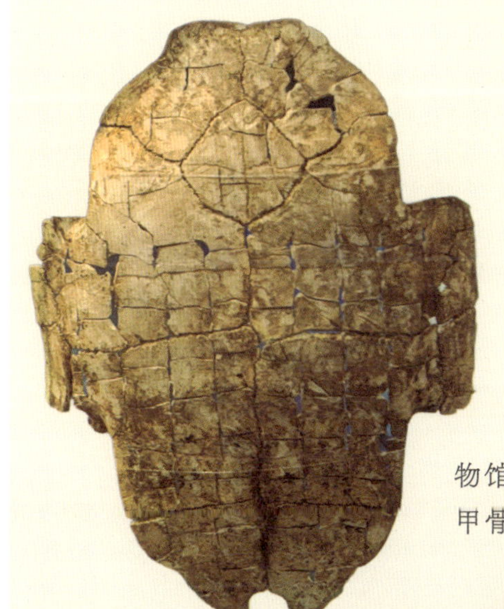

甲骨：殷墟博物馆内数量庞大的甲骨中的一片。

玉器：妇好墓出土的玉人，背后连接一枚“T”型宽柄，现藏于中国国家博物馆。

青铜器：妇好墓中出土的妇好鸮尊，造型精巧可爱，出土一对，分别藏于中国国家博物馆与河南博物院。

司母方壶

浮于器身的华丽龙凤

器盖为庑殿顶式，中间有庑殿顶式短柱钮。盖下边沿有子口，可与器口相衔接。盖四角及盖面中部各有扉棱，盖面以阴线饰夔纹四条，两两对称。

器颈饰三角蝉纹

国宝名称： 司母方壶
所属年代： 商
出 土 地： 安阳殷墟妇好墓

这件司母方壶通高64厘米，重31千克。

妇好墓共出土司母方壶2件，2件形制、大小几乎相同。其中，794号方壶现藏于中国国家博物馆，807号方壶藏于中国社会科学院考古研究所，于殷墟博物馆新馆展出。方壶由器身与器盖构成，器身装饰密集的圆雕、浮雕纹饰，华丽而庄重，因器底内部铭刻“司母”而得名。该方壶展现了商代出土青铜器的丰富多样。

方壶体形硕大，形制规整而庄重，方唇折沿，腹部内收，平底高圈足，四面中心及四棱分布竖向扉棱，器身、器肩、器壁及足部以云雷纹为底，以圆雕、浅浮雕、深浮雕的形式装饰兽面纹、鸟纹、三角蝉纹等纹饰。

在器腹部分每面上部装饰有一条突出的龙，呈一头两身，身体弓起延伸到头两侧，尾部上卷。下方则以器身四角扉棱为界，装饰浮雕兽面纹。

方壶器肩的四角装饰着圆雕式怪鸟，鸟头有角，身后的翅与尾对称向两侧器肩以浮雕式的流畅线条延伸，充满了立体感与装饰性。

方壶的足较高，四面中心及四角的扉棱从上到下延伸到底部。每面以扉棱为界以浅浮雕形式装饰兽面纹。

铜弓形器

装饰精美的军事装备

国宝名称：铜弓形器
所属年代：商
出土地：安阳刘家庄M217

这件铜弓形器弓背长度为30厘米至50厘米。

这件铜弓形器出土于殷商时期的墓葬，是一种与马车相关的器具。在商代，马车是重要的交通工具和军事装备，铜弓形器在其中扮演着关键角色。主流观点认为它是挂缰钩，用于辅助驭手驾驭马匹，同时也可能兼为安全钩，保障驭手和乘者在马车行驶过程中的安全，足见其在当时交通和军事活动中的重要性。

器物呈弓背微弧、弓臂高拱的形态，整体造型独特，弓背装饰两只相对而立的老虎。老虎的眼睛以绿松石镶嵌，尾巴卷曲上翘，形象栩栩如生，雕刻精细，老虎仿佛随时准备扑食，尽显威严与动感。

铜弓形器的两端装饰有镂孔的球形铃铛，增添了灵动的气息。弓背弓臂还装饰有几何纹与圆形凸泡，既富有韵律感又增添了几分古朴之美。

老虎在古代文化中往往代表力量与勇猛，装饰在铜弓形器上，或许象征着驭手驾驭马车的力量与勇气，也体现了当时人们对猛兽的敬畏。

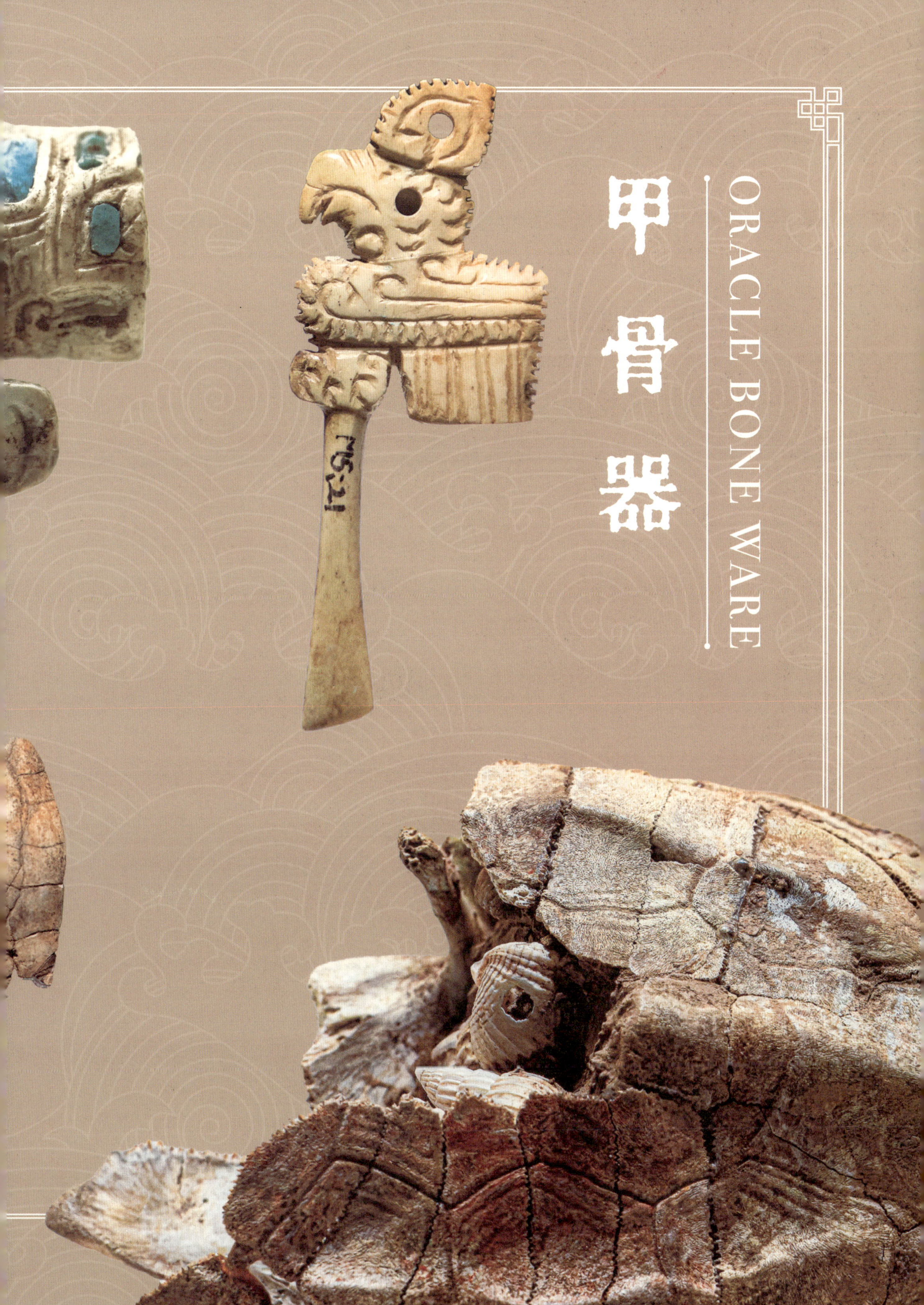

甲骨器

ORACLE BONE WARE

嵌绿松石骨虎

骨虎呈匍匐似卧状，四肢掣肘抱爪，粗尾翻卷，仿佛正蓄势待发，随时准备扑向猎物。造型生动逼真，充满了动感与活力。文物出土时虎头前端已经断裂，学者根据同时期出土的其他类似文物推测此件骨虎很可能是刻刀的刀柄部分。

骨虎的尾巴线条流畅，抽象而简约地概括了虎尾的形态。

文物出土后，部分凹槽内的绿松石已掉落，但也能更清晰地了解到当时的镶嵌工艺。

国宝名称：嵌绿松石骨虎
所属年代：商
出土地：安阳殷墟妇好墓

这件嵌绿松石骨虎长5.2厘米，宽1厘米，高2.2厘米。

该文物是妇好的陪葬品之一，虎形凝练，口部露齿，大耳挺立，威猛中又透着些许俏皮，简洁而富有表现力，是商代骨雕艺术的杰出代表，同时也彰显了墓主人高贵的身份地位。其生动的造型、细腻的雕刻，以及精美的镶嵌工艺，展现了当时工匠们高超的艺术创造力。

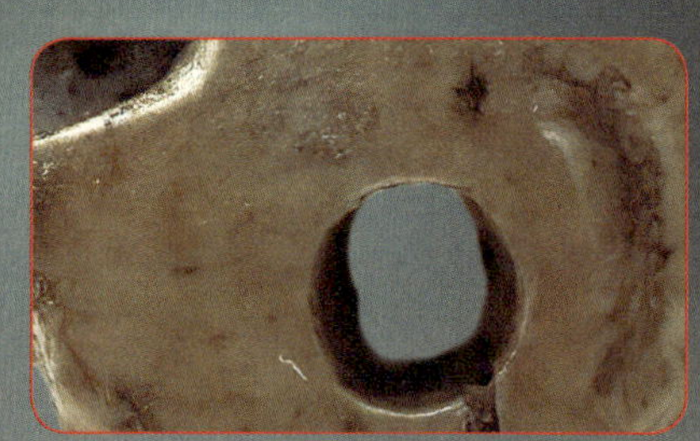

骨虎的足部留有镂空的孔洞，很可能是为了穿绳捆绑刻刀之类器物所预留。

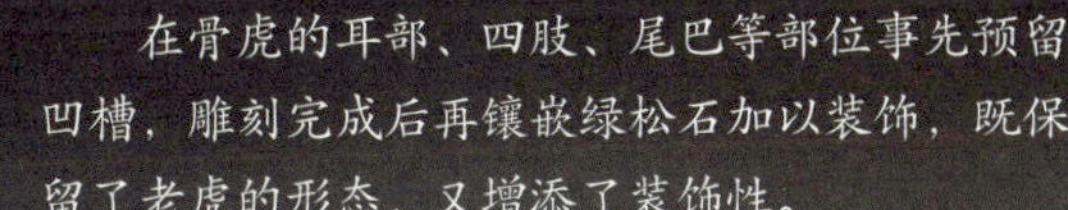

在骨虎的耳部、四肢、尾巴等部位事先预留凹槽，雕刻完成后再镶嵌绿松石加以装饰，既保留了老虎的形态，又增添了装饰性。

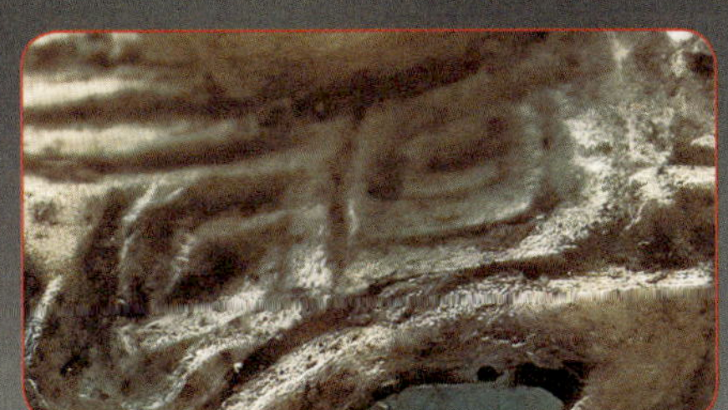

骨虎虽小，但制作者在装饰上丝毫不马虎，在虎身之上以长而流畅的线条进行雕刻，在镶嵌的绿松石之间以云雷纹装饰。

小提示

这件来自夏代晚期的嵌绿松石兽面纹铜牌饰展示了中国最早的铜器镶嵌工艺，至今展出时仍能看到其泛着柔和的光泽，十分精美。

嵌绿松石兽面纹铜牌饰
（夏，中国考古博物馆）

嵌绿松石刻辞骨柶

国宝名称：嵌绿松石刻辞骨柶
所属年代：商
出 土 地：安阳安钢M11

这件细长的嵌绿松石刻辞骨柶由牛肋骨制成，是我国现存唯一一件文字部分镶嵌绿松石的甲骨，同时也是少有的非占卜性的记录性甲骨。虽然部分绿松石已脱落，但我们仍可以看到留存部分的镶嵌工艺十分精巧，不仅展现了商王崇高的地位，而且将数千年前的故事长久地流传至今。为了解商代的社会生活、王室活动及等级制度等提供了直接的证据，同时展现了商代高超的文字刻写和镶嵌技术。

骨柶下方文字镶嵌的绿松石脱落较少，文字笔画流畅自然，可见粗细不同的笔锋，绿松石也依形精准地嵌入其中。

文字内容：

“壬午，王（戋）于召（寨），彳止田于麦彔（麓），获兕。亚易（赐）……”

释义：

文中记录了在壬午日这天，商王去召寨巡视，接着到麦地的山脚下田猎，捕获一头野牛，然后对下属官员进行了赏赐。

嵌绿松石刻辞骨柶采用牛肋骨较为平直的一段，上端尖锐，出土时下端已残缺，残留部分上刻15个字，线条内以绿松石嵌入，记录了3000余年前商王外出狩猎的内容。通过“亚赐”二字可知当时存在赏赐下属的行为，反映了商代的等级关系和礼仪制度。

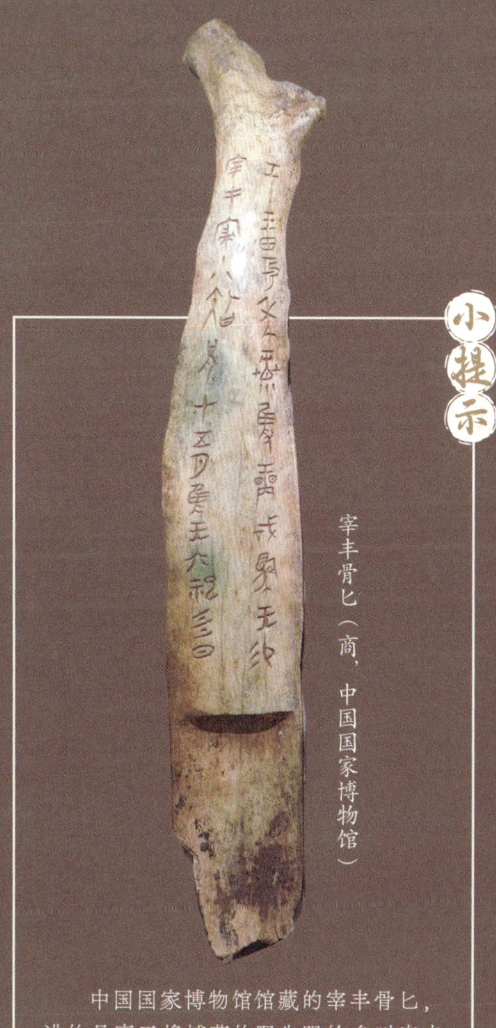

宰丰骨匕（商，中国国家博物馆）

小提示

中国国家博物馆馆藏的宰丰骨匕，讲的是商王将捕获的野牛赐给名叫宰丰的官员，宰丰为了这件事，将文字刻在野牛的一条肋骨上。

『子其入学』刻辞卜甲

王子的入学『请愿书』

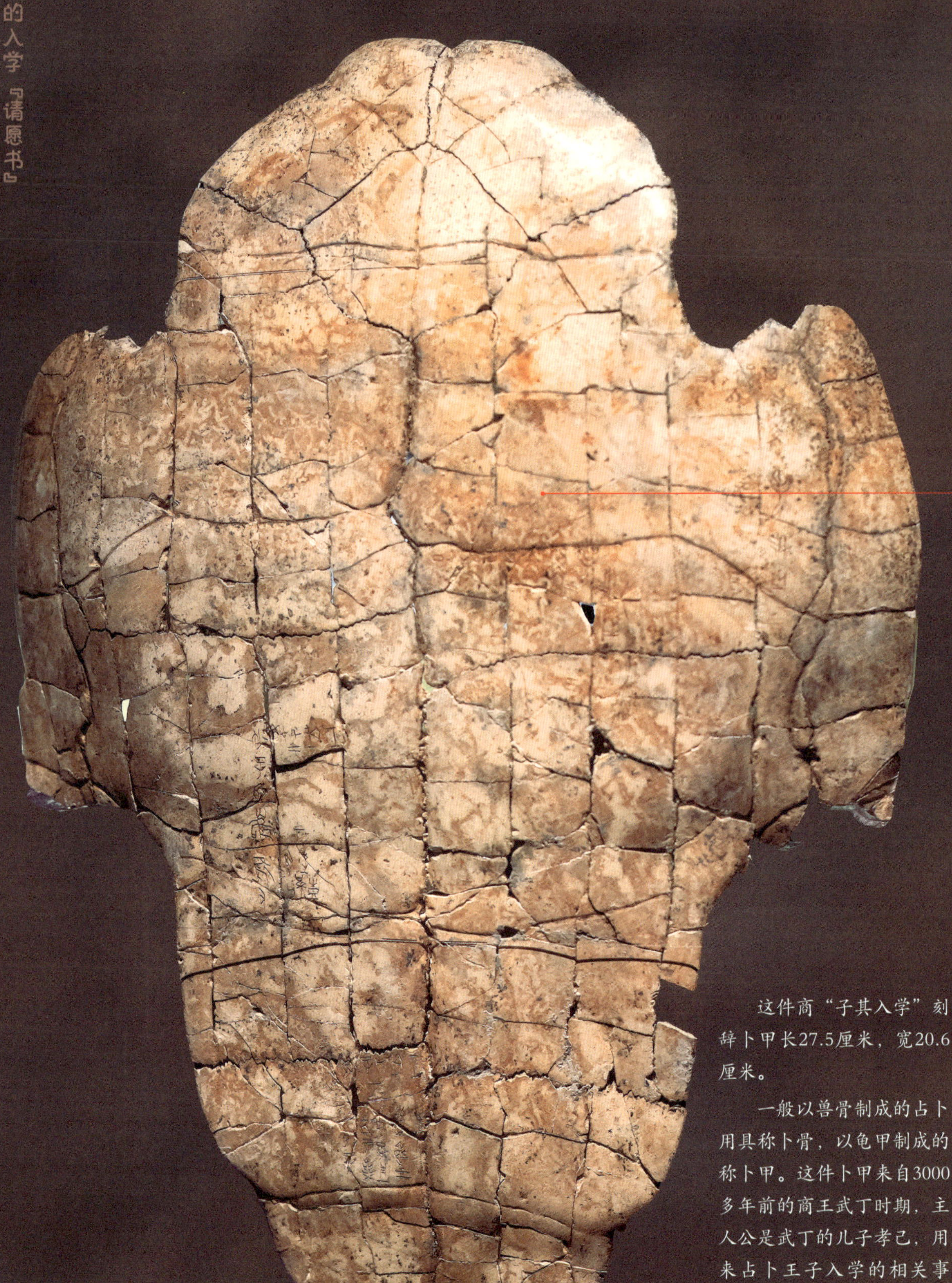

国宝名称：“子其入学”刻辞卜甲

所属年代：商

出 土 地：安阳殷墟花园庄东地H3窖藏坑

这件商“子其入学”刻辞卜甲长27.5厘米，宽20.6厘米。

一般以兽骨制成的占卜用具称卜骨，以龟甲制成的称卜甲。这件卜甲来自3000多年前的商王武丁时期，主人公是武丁的儿子孝己，用来占卜王子入学的相关事宜。这件甲骨不仅证实了文献中记载的商代“大学”，而且可见商代贵族对于教育的重视，为研究商代教育情况提供了直接证据。

该甲骨保存完整，字迹清晰，是以一片完整的花龟腹甲制成，其上有5段文字，其中“子其入学，若永”格外醒目，它直观地反映出商代的教育状况。透过裂痕斑驳的龟甲，能够感受到这位王子求学的虔诚。

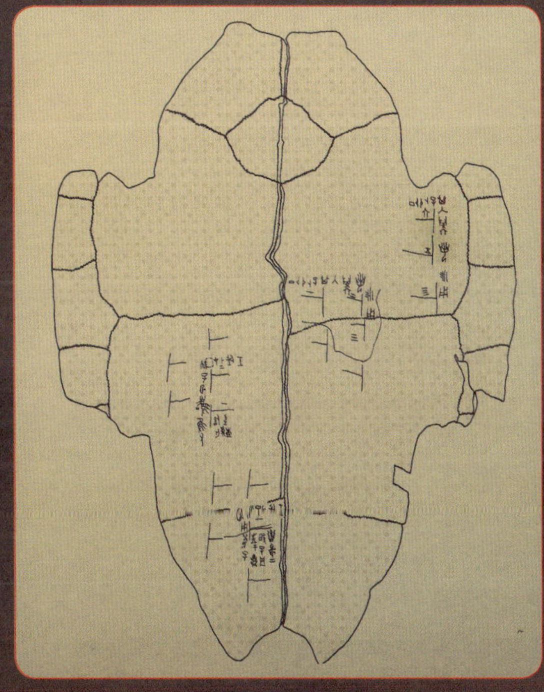

包括此片在内的刻辞卜甲丰富了甲骨文的研究资料，其刻辞的文字风格、语法结构等，有助于深入了解甲骨文的特点和演变，对研究汉字的起源和发展具有重要意义。

甲骨上共有5段占卜性文字，其中一段“丁卯卜：子其入学，若永”，就是问卜王子入大学的相关事项。

《孟子》记载：“夏曰校、殷曰序、周曰庠。”明确提到了商代的大学教育，贵族子弟进入大学要学习礼仪、乐舞及武术等，是“六艺”的早期雏形。

商代的占卜活动十分频繁，需要大量的龟甲，本地的乌龟数量不够，就依靠周围方国的进贡，但仍无法满足需求，因此也就出现了用牛、鹿等动物肩胛制作的卜骨。

殷墟的甲骨主要出土于YH127甲骨窖穴、小屯南地甲骨窖穴、花园庄东地H3甲骨窖穴。甲骨上的刻辞为我们了解商代贵族生活提供了实物依据。例如“丁来视子舞”“子其疫，弜往学？”可见商王颇为关心王子的学习，且生病请假也要问卜先人。

殷墟博物馆内展示的花园庄东地H3甲骨窖穴中的甲骨

器物小知识

文物中的乌龟元素

古人观察到乌龟的寿命相对较长，便赋予了它长寿的寓意，希望通过乌龟元素祈求生命的长久和延续。除了殷墟出土的数量庞大的甲骨以外，让我们来看看还有哪些精美的龟元素文物吧。

“广陵王玺”金印（东汉，南京博物院）

身份等级的象征

该金印纯度极高，底部为一方形印，上部为一龟形钮，龟身纹饰刻画精巧，印文结字疏密有致，行笔直中有曲。该金印体现了金印主人尊贵的地位。

鎏金银龟盒（唐，法门寺博物馆）

金贵的乌龟香炉

唐代人视龟为象征吉祥长寿的灵兽，此器寄托了时人祛除疾病、长寿安康的美好祈愿。有学者发现其腹内残留香灰，盖内可见熏香残留的烟炱痕迹，推断其应为唐代宫廷香具，相当于香炉。

晋公盘
（春秋，山西青铜博物馆）

盘里的水中乐园

晋公盘是春秋晚期的青铜器，是晋文公送给大女儿孟姬的嫁妆。盘内装饰了浮雕和立雕的各种水生生物，如游鱼、乌龟等，整体装饰精美，风格独特。

龟游荷叶洗（宋元，台北故宫博物院）

荷叶中的双龟

在两片大小不一的荷叶中心，两只憨态可掬的小乌龟，自在地伏于荷叶之上。两只乌龟形态各异，小荷叶上的乌龟望向大荷叶上的另一只，似乎想与其交谈嬉戏。

干支纪年与文物的结合

拓展话题

在殷墟出土的甲骨上，出现有大量关于“戊子”“辛卯”“乙未”“戊戌”“辛丑”等字样。干支即十天干与十二地支的合称，排列组合构成六十甲子，一干支代表一个昼夜。相传干支纪年起源于上古轩辕时期，是中国传统历法体系中的重要组成部分。商代人以干支纪日，以月亮月相变化纪月，以太阳周年运动纪年。同时，在中国历朝历代的各式文物中也有干支元素的出现，让我们一起来看看吧。

彩绘陶十二生肖俑（唐，陕西历史博物馆）

十二生肖是十二地支的具象化表达，通过对应不同动物来表示人出生的不同年份。这组唐彩绘陶十二生肖俑为兽首人身，在墓中的十二个方位守护着墓主的安宁。

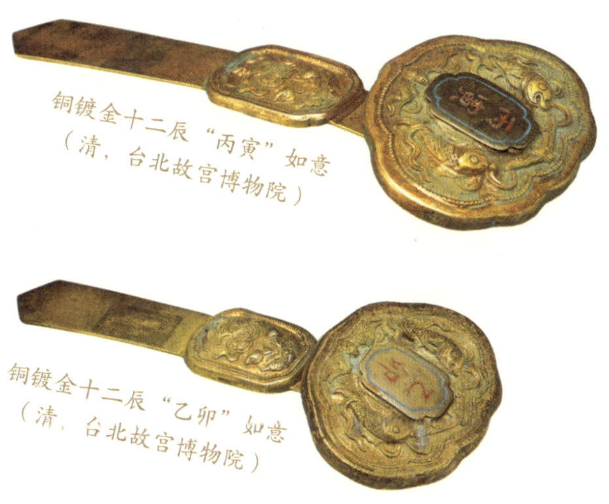

铜镀金十二辰“丙寅”如意（清，台北故宫博物院）

铜镀金十二辰“乙卯”如意（清，台北故宫博物院）

上方为铜镀金十二辰如意中的两件，一套共12件，用料金贵，上方雕刻桃子、蝙蝠、双鱼等吉祥纹样，同时在如意上分别篆刻不同干支，有吉祥如意、年年有余之意。

干支乳钉纹镜（清，台北故宫博物院）

这件干支乳钉纹镜在镜背繁密的纹饰之间雕刻干支字样，圆形本就有轮回之意，而干支排列其上亦有岁月轮转之意，造型古朴，寓意深远。

嵌绿松石骨蛙

憨态可掬的商代小青蛙

国宝名称：嵌绿松石骨蛙
所属年代：商
出 土 地：安阳殷墟妇好墓

这件嵌绿松石骨蛙出土于殷墟妇好墓，只有约成人的半个手掌大小。骨头的质朴与绿松石的华丽相得益彰，骨头的原色与绿松石的绿色相互映衬。制作者生动地捕捉了蛙类在自然中的动态，将蛙的瞬间姿态凝固成永恒，展现出极高的艺术写实能力，体现了当时人们对自然生物细致入微的观察，使这件艺术品具有强烈的生命力和感染力。

骨蛙的后腿蓄势待发，仿佛下一秒就要跃起。

骨蛙的背部可以看到钙化与腐蚀的痕迹，但局部仍然光亮，可见在制作时经过了精细的打磨。无论是用作占卜的甲骨还是生活中的器物、装饰品，骨骼可谓商代常见的创作原材料。

骨蛙呈俯卧状，前肢匍匐，后肢有力，仿佛正处于跃起的瞬间，造型生动传神，充满动感。其身躯较四肢稍窄，四肢弯曲的足爪上精心雕刻了爪趾，细节之处彰显当时工匠的高超技艺和对艺术的执着追求。骨蛙背面弧形凸起，中部凹陷，造型精致、曲线优美。

骨蛙以骨头为基底，运用了精湛的镶嵌工艺，将绿松石巧妙地镶嵌在骨蛙的眼睛等关键位置，使骨蛙的形象更加生动逼真，绿松石的运用也彰显了墓主显赫的身份地位。

小提示

蛙这一形象早在新石器时代就有出现，同时期妇好墓中还出土了玉蛙。古人认为蛙多产，具有子孙绵延之意。同时，蛙生活在水中，水是种植农作物的必要条件，有祈祷风调雨顺之意。

骨蛙的下巴底部可见一个非贯穿的圆洞，很可能是为安插或固定物件所预留，这表明骨蛙很可能是用于佩戴的装饰品。

龟甲内藏大乾坤

国宝名称：跪人藏龟

所属年代：商

出 土 地：安阳殷墟大司空村M18

这件跪人藏龟于2004年出土。制作者将乌龟壳、玉人和海螺贝壳组合在一起，构成了这件奇特的跪人藏龟。这种独特的搭配在殷墟出土文物中较为少见，其具体功用尚无定论。这种独特搭配形成了一种极具想象力和神秘感的艺术造型，给人以强烈的视觉冲击和丰富的联想空间。这件文物很可能与原始的祭祀活动有关，其出土对于研究商代人的宗教信仰及祭祀文化具有重要的实物意义。

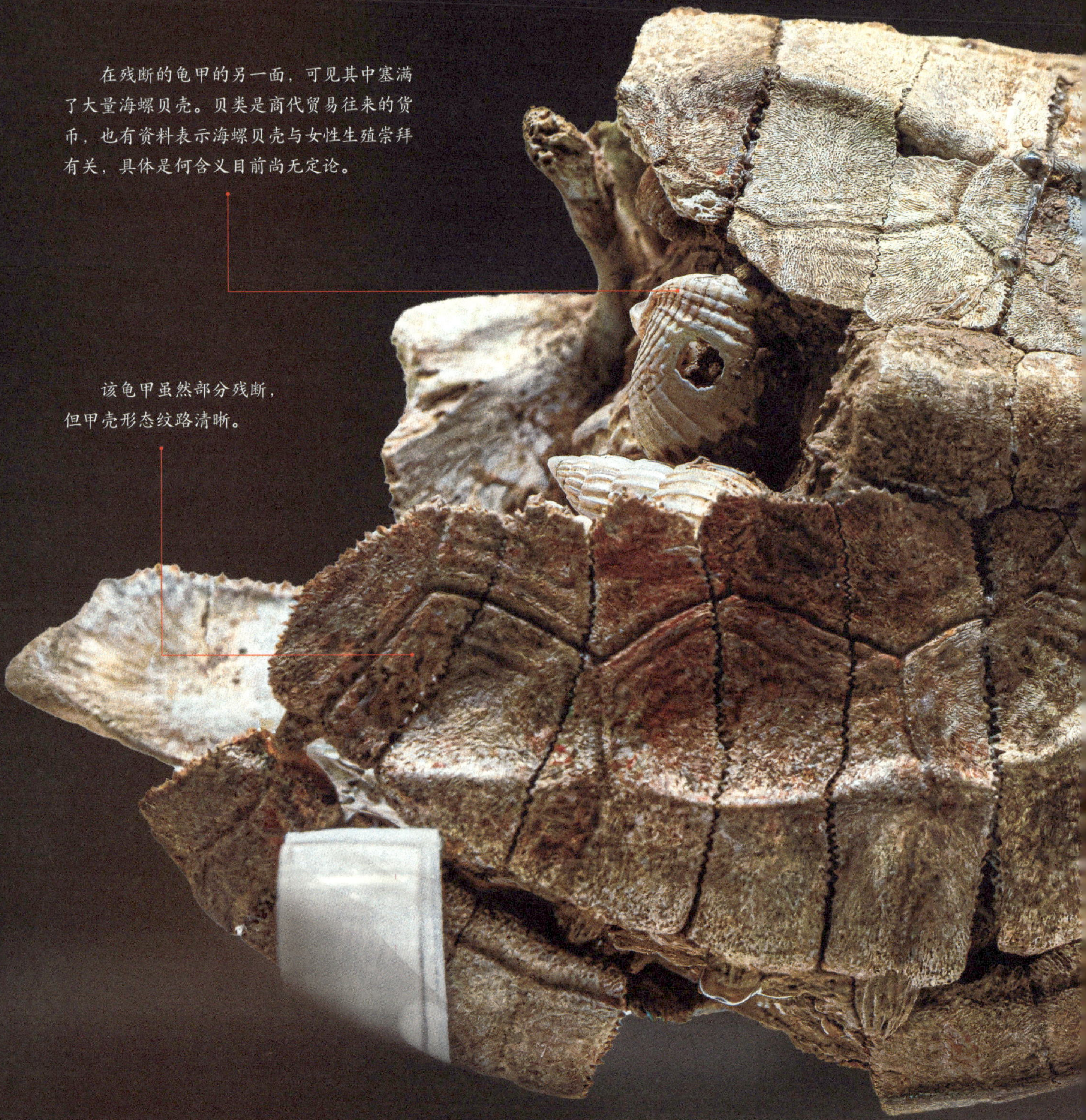

在残断的龟甲的另一面，可见其中塞满了大量海螺贝壳。贝类是商代贸易往来的货币，也有资料表示海螺贝壳与女性生殖崇拜有关，具体是何含义目前尚无定论。

该龟甲虽然部分残断，但甲壳形态纹路清晰。

这件跪人藏龟由乌龟壳、玉人和海螺贝壳组成。乌龟壳相对完整，壳内一边塞满了海螺贝壳，有一个呈跪立状的玉人躲在龟壳后探出头和右侧身体，展现出了商代人的原始崇拜。

在商代，龟被视为沟通神明的化身，商代人好问且敬鬼神，以龟甲占卜进行日常生活。这件“内藏乾坤”的龟甲很可能是敬神的祭品，内部的玉人姿势虔诚，表现了一种原始的崇拜。

在龟甲侧面，隐约可见一跪坐的玉人，小人被打磨得圆润，造型简单，跪坐的姿态可能是出于祭祀。通过小人探出头的动作，营造出一种神秘而生动的氛围，仿佛在窥视着什么，或者在执行着某种特殊的任务。

鸟形骨刻刀

美观与功用的结合

刻刀上部的鸟眼和鸟耳部钻有孔洞，可见这类骨刀在当时是频繁佩戴并使用的实用器。

国宝名称：鸟形骨刻刀
所属年代：商
出土地：安阳殷墟妇好墓

殷墟地区出土了3万余件骨器，数量庞大，造型不一，功用不同。例如这件妇好墓出土的鸟形骨刻刀不仅造型精巧别致，而且是具备功用的实用器物。骨刻刀上部刻画为鸟形，下部延伸出刀锋，无论是鸟的轮廓线还是羽毛等细节的线条，都宽窄均匀、深浅一致，体现了工匠高超的控刀能力和娴熟的雕刻技巧。在保持鸟的基本形态的基础上，工匠对某些部位进行了适度的艺术夸张，增强了骨刻刀的艺术感染力和视觉冲击力。

鸟形骨刻刀下部的刻刀部分为短小平斜的刀面，刀锋部分经过打磨。在当时的生活中，这类刻刀通常用作在甲骨或器物上刻字。

这件鸟形骨刻刀上部为一扁平的鸟形，鸟耳挺立，鸟喙尖利，制作者对鸟的耳朵、喙、羽毛等细节都进行了凝练的刻画。鸟爪与骨刀相连接，仿佛挺立于其上，下方骨刀细长。骨刻刀上的雕刻线条细腻流畅，没有丝毫的滞涩和粗糙之感。

龟形骨刻刀
（商，中国社会科学院
考古研究所）

小提示

妇好墓中还出土了众多连接动物雕刻的骨刻刀，例如龟形、蜥蜴形等，这类刻刀上方的动物雕刻得十分精美复杂，很大程度上已经脱离了日常使用功能而成为装饰与把玩的小型器，同时精巧的雕工也显示出墓主人身份地位的高贵。

类比与猜想

在妇好墓中出土了一件妇好鸮尊，鸮即猫头鹰。在商代，猫头鹰是被神化的鸟，以鸮形制尊，反映了商代人对鸮鸟的崇拜。对比这件鸟形骨刻刀与鸮尊，可以看出鸟的形态十分相似，因此刻刀上的鸟很可能为鸮。

玉石器

JADE WARE

国宝名称：玉戚
所属年代：商
出 土 地：安阳殷墟花园庄东地M54

这件玉戚出土于商代亚长墓，亚长墓中共出土了6件玉戚，其中3件较大，此为其一。玉戚中部为一规整的圆环，两侧为锯齿状扉齿。戚面平整，打磨光滑，作为由兵器发展而来的仪仗礼器，其刃部为弧形，线条流畅自然，虽历经岁月洗礼，却依然能让人感受到曾经的锋利之感。从选料、切割、雕琢到打磨，每一个环节都体现了工匠们的精湛技艺。同时，它也是研究商代宗教信仰和礼仪制度的重要实物资料。

玉戚宽厚，似由一整块玉璧雕琢而成，上下两部分的圆弧平滑，形制规整，展现出商代人对美的独特理解。

玉戚部分的上部有纤细的横纹，根据斧和钺等类似文物进行分析，横纹很可能是卡在权杖之上的卡槽的边界。

玉戚的侧面有细小的锯齿状扉齿，这是为了捆绑固定绳索而设计。玉戚安插或捆绑在仪仗之上，在号令或祭祀中起到鼓舞士气的作用。这件玉戚反映了商代人对礼仪制度的重视。

这件玉戚质地温润细腻，光泽柔和。经过数千年的埋藏，表面形成了一层独特的沁色，或呈浅黄色，或呈淡褐色。这些沁色记录着它所经历的历史变迁，也为其增添了一分古朴的美感。

小提示

兽面纹玉斧（商，中国国家博物馆）

亚醜钺（商，山东博物馆）

商代的戚由斧、钺演化而来，将斧加宽成为钺，钺两侧有扉齿的称为戚。玉戚的造型源于实用兵器，却超越了实用功能。在商代，玉器是通神的媒介，而兵器则是王权的象征。玉戚将二者合而为一，成为一种仪仗兵器，既彰显了持有者的军事权威，又暗示了其与神灵沟通的特殊身份。

玉觿

宽衣解带的神器

国宝名称：玉觿
所属年代：商
出 土 地：安阳殷墟花园庄东地M54

这件玉觿是亚长墓出土的5件玉觿中的一件。

这件玉觿为回首的龙形。龙被视为神灵的象征，具有通天彻地的能力。同时，作为王室用具，玉觿是商代贵族身份和地位的象征，只有少数地位崇高的人才能拥有和佩戴，显示其在当时社会中的特殊地位。这件玉器造型简约，器身未雕刻纹饰，应为墓主生前日常使用之物，是了解商代文化的实物例证。

玉觿整体塑造为龙回首后扭的造型，龙耳立起，下颌与背部相连接，两只足呈蹲踞状，龙首与龙身的空隙形成孔洞，亦可用于日常穿绳佩戴。这是一件是实用与美观相结合的工艺品。

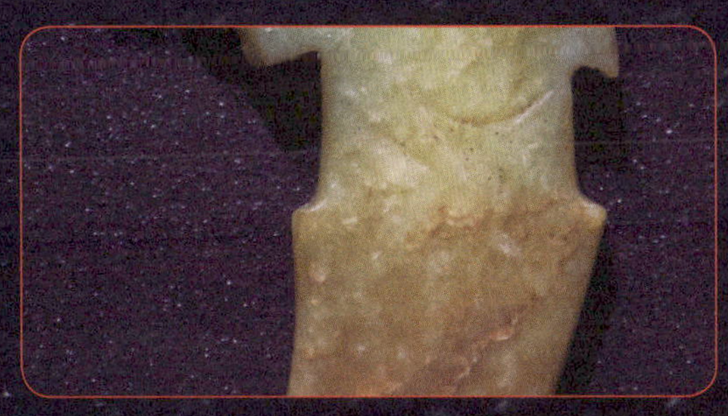

玉觿上斑驳的痕迹为长年累月埋藏于地下形成的土沁，沁色是判断古玉成色的标志之一。

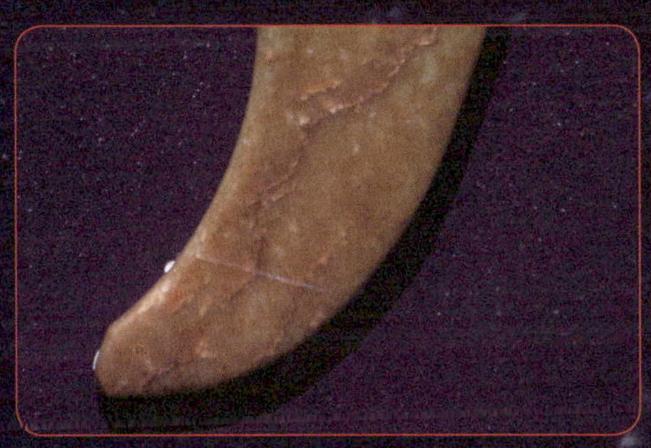

玉觿的外形乍看与玉匕、玉刀类似，但相较于刀的锋利，觿更为圆钝，因此方便解开绳扣的同时不至于将绳子割断。这件玉觿的下端以弯曲的龙身作解绳的尖角，将抽象的形象与器型完美结合。

制作玉觿的玉石材质多为和田玉等优质玉料，质地温润细腻，硬度较高，具有良好的光泽度。这些玉料经过精心挑选，确保了玉觿的品质和美观。丰富了商代的玉器种类，也为了解商代的穿衣习惯提供了依据。

《说文解字》中曾有记载：“觿，佩角，瑞耑可以解结。从角巂声。”《诗》曰：“童子佩觿。”解释了觿用于开解绳结的功用。觿流行于西周至两汉，发展后期多做装饰之用，在两汉时期的玉组佩当中常出现。例如这件春秋晚期的玉觿，造型简约，突出了材质与功用之美。

玉觿
（春秋晚期，台北故宫博物院）

玉调色盘

精巧的调色盘

殷墟出土的玉调色盘，可谓中国砚台的早期化身。调色盘最初只作为工具的一种，慢慢发展为“文房四宝”中的砚台，成为把玩之物。

国宝名称：玉调色盘

所属年代：商

出 土 地：安阳大司空M303

这件玉调色盘出土于大司空墓，保存得较为完整。调色盘厚实，雕刻精美，上方残存朱砂痕迹，为早期用于书写调色的珍贵文物实例。在妇好墓当中也出土了一件类似的玉调色盘，一同出土的还有研磨用具，证实了器物调色的功用。它的出现说明商代晚期已经有了对色彩调配和使用的需求，以满足书写绘画的需要，同时也为砚台的出现奠定了基础。

玉调色盘上部为两只玄鸟，两鸟背部与尾部相对而立，中间有一圆孔便于携带，双鸟线条刚柔并济，造型生动准确，是商代玉器艺术的杰出代表，对于研究商代的艺术风格和审美观念具有重要价值。

玉调色盘盘身扁平，上端为相对而立的玄鸟，鸟的外轮廓线条干净利落，鸟身上阴刻的线条柔和流畅，展现了商代人的图腾崇拜。下方的方形调色盘为三边宽沿，一面开头，盘心面积较大，方便调和颜料。

玉调色盘的色盘部分平整，上有埋藏数千年所形成的沁色，并残留朱砂痕迹。玉调色盘的出土证明了商代晚期不仅会在甲骨、青铜器上进行刻写，而且也会在竹简、玉石等介质上进行书写。

玉调色盘

（商，中国考古博物馆）

妇好墓中也出土了一件玉调色盘，上方亦有朱砂残留痕迹，在殷墟出土的甲骨上也出现有大量朱书痕迹。商代人认为血可以沟通神明，朱砂颜色鲜红如血，因此常用于祭祀或占卜时的书写。

玉鳄鱼形器

商代的『顽皮小鳄鱼』

这件玉鳄鱼形器以概括的手法塑造鳄鱼伏卧的姿态，将鳄鱼的身体形态、四肢动作及尾巴的形状都刻画得十分逼真，生动地展现了鳄鱼的神态，体现了商代玉工对动物形态的精准把握和高超的艺术表现力。

鳄鱼的头部已经被腐蚀，眼睛等细节部分已模糊，但仍可分辨出其长长的口喙与基本形态。

国宝名称：玉鳄鱼形器
所属年代：商
出 土 地：安阳侯家庄北地M1

在殷墟遗址中出土有众多的小型玉器，它们被塑造成各类动物的形象，一方面有着对图腾和动物力量的原始崇拜，另一方面也可能是当时贵族的把玩之物。

鳄鱼背部的纹样以简约的层层叠叠的曲线排列组成，用以表现鳄鱼背部的皮肤。仅以简单的几组线条就将动物的特征表现得如此精妙，足见工匠强大的观察与概括能力。

小提示

商代，鳄鱼的形象被广泛运用，在这件龙形觥的侧身也装饰有鼍纹，即鳄鱼纹。有研究表明，商代，中原的气候比现今温和湿润得多，因此出现鳄鱼的形象也有迹可循。

龙形觥（商，山西博物院）

这件玉鳄鱼形器造型精致小巧，玉质圆润。鳄鱼的足蜷曲着，工匠简明地刻画了鳄鱼的爪，给人一种漫画造型般的可爱感，猛兽的凶狠似乎也在工匠的刻刀下被弱化了。

玉熊

熊出没，请注意

在玉熊的头部、背部以及足部之上有杂褐色斑纹，这是古玉受到土蚀的标志，一般埋藏较久或埋藏条件较差的情况下会出现此类斑纹。

国宝名称：玉熊
所属年代：商
出土地：安阳殷墟花园庄东地M54

这件玉熊高5.87厘米，长6.85厘米。

玉熊为一扁平的玉璧，切割为熊的形态，熊身以纤细的线条雕刻装饰性纹饰，玉熊背部上方钻一圆孔，表示其更多用于装饰或佩戴。在商代，龙、鸟等纹饰多见，熊纹较少，这件文物体现了商代人对野兽力量的向往，同时也侧面表现了人类与自然的依存关系，以及商代玉器的精湛技艺。

这件玉熊出土于亚长墓，玉璧扁平，展现的是一头熊的侧身，正背面纹样相似，熊长嘴前伸，眼睛为典型的臣字形，这种眼部造型是商代玉器的常见特征之一。虽然线条简洁却能精准地表现出熊的神态，使其看起来既威严又不失可爱。

玉熊虽小，但其纹饰刻画得十分精细，熊背弓起，熊头低垂，双眼大睁，嘴部微张，尾巴低垂，表现出动物的警觉，也展现出玉石工匠对动物形态、特征的精准概括。

小提示

熊因其体型庞大且极具力量，成为商代人崇敬的对象，并常出现于器物之上。亚长墓的玉璧装饰性更强，而这件妇好墓中出土的玉雕则采用圆雕的形式表现一只蹲踞的小熊，造型憨态可掬，颜色更深，展现了玉器的不同表现形式。

玉熊（商，中国考古博物馆）

动物纹饰在商代文物中的应用

商代，作为中国古代文明发展的重要阶段，其艺术成就灿烂辉煌，而此时期出土的文物玉器、青铜器与陶器上的精美纹饰则是这一时期艺术风貌的集中体现。这些纹饰不仅是装饰性的图案，而且是商代社会文化、宗教信仰、审美观念的生动载体。它们以独特的造型、丰富的寓意和精湛的工艺，反映了当时高度发达的手工业水平，以及人们对世界的认知与想象。

玉韘（商，中国考古博物馆）

玉器上的动物纹

玉器在商代主要以礼器为主，不仅是贵族身份地位的象征，而且也是宗教祭祀中必不可少的重要器物之一。此外，还有很多实用的玉器。而这类玉器之上大多会有不同的动物纹饰，以彰显早期人们的图腾崇拜。例如右图这件玉韘上的兽面纹是玉器上的常见纹饰，作为各种动物形象的组合具有震慑与保护之意。而下图的玉龙、玉虎则是商代常见的动物图腾，有着对这类动物威猛与力量的崇拜。

玉龙（商，中国国家博物馆）

玉虎（商，中国国家博物馆）

象纹铜铙

（商，湖南博物院）

青铜器上的动物纹

青铜器是商代文明的标志性器物，其纹饰充满神秘威严之感。饕餮纹、夔龙纹、鸟纹、蝉纹等占据主导，亦有象纹、鳄鱼纹等猛兽纹饰。动物纹线条刚硬粗犷，造型夸张，蕴含着强烈的宗教与政治寓意，是商王朝等级制度和神秘文化的象征。例如这件象纹铜铙上的大象生动而立体。

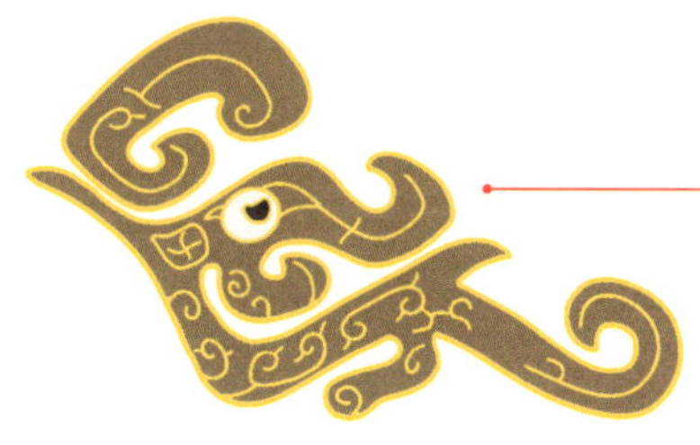

夔龙纹：这件日己觥器身曲口饰有回首夔龙纹，尾随小鸟，龙似在回望小鸟，形成两者的互动，让器身的装饰更加和谐灵动，富有生机。

兽面纹：器身正面兽纹较为方正，侧面较为宽大，额间饰一对小角，造型更为丰满。

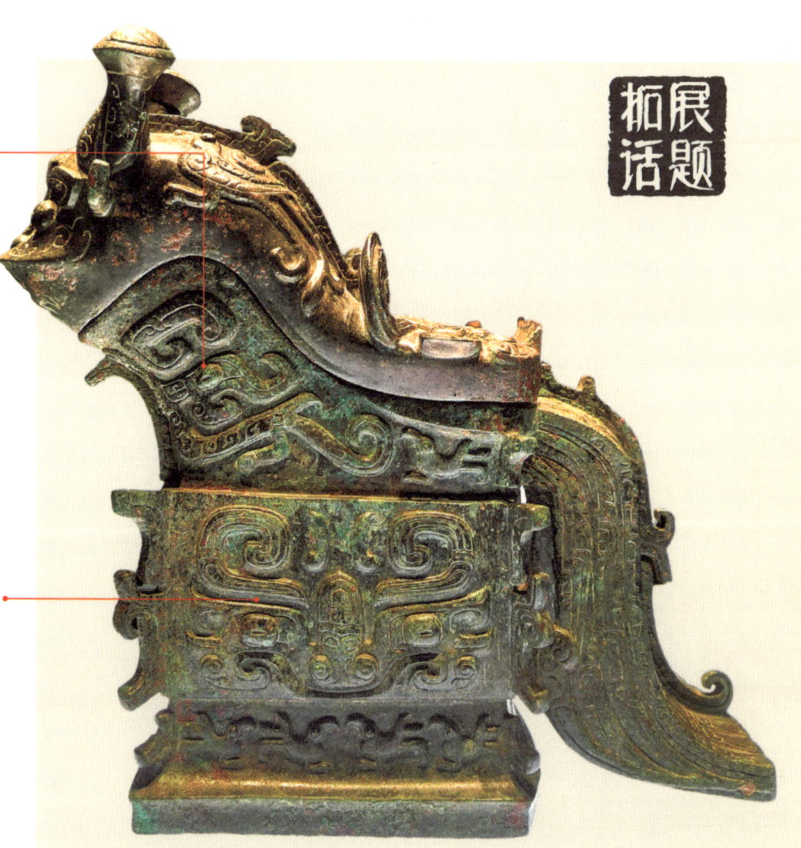

日己觥（商，陕西历史博物馆）

陶器上的动物纹

商代，青铜文明高度发展，或许人们会认为青铜器是商代人日常生活的主角，事实上，大多数百姓用不起青铜器，仍以陶器为主要生活用具。商代陶器以灰陶、红陶、白陶为主，纹饰主要以夔龙纹、饕餮纹以及蝉纹为主。同时河南的商代遗址也出现有陶人、陶龟、陶鸟等各类陶塑，虽不及玉器和青铜器纹饰精细，但胜在简洁明快，生动地反映了当时人们的生活场景和对自然的观察，展现出浓厚的民间生活气息。

陶人面盖（商，中国社会科学院考古研究所）

陶人面盖上方四人面之间簇拥着一只陶鸟，小鸟憨态可掬，鸟的眼睛及身上羽毛都被细致刻画。

白陶刻饕餮纹双系壶（商，故宫博物院）

这件白陶刻饕餮纹双系壶，壶身以流畅的线条刻画细密的饕餮纹。

其他文物

OTHER ARTIFACTS

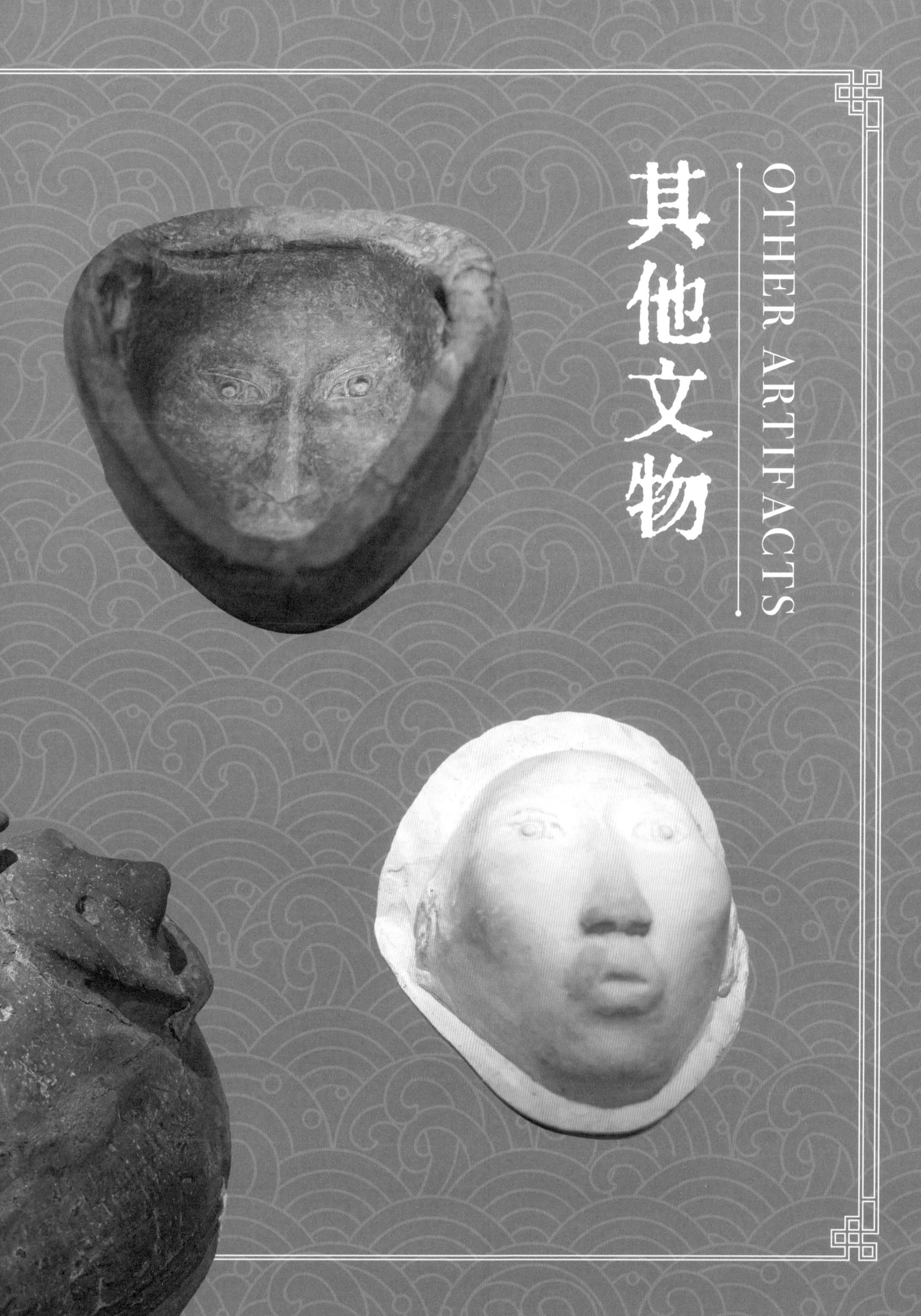

陶人面范

神秘的殷商面孔

陶人面范（以下简称“陶范”）的眼睛以简练的线条表现，炯炯有神，眼睛上方还有一条细线，根据陶范制作的陶模来看，人物是双眼皮，可谓商代美男子。

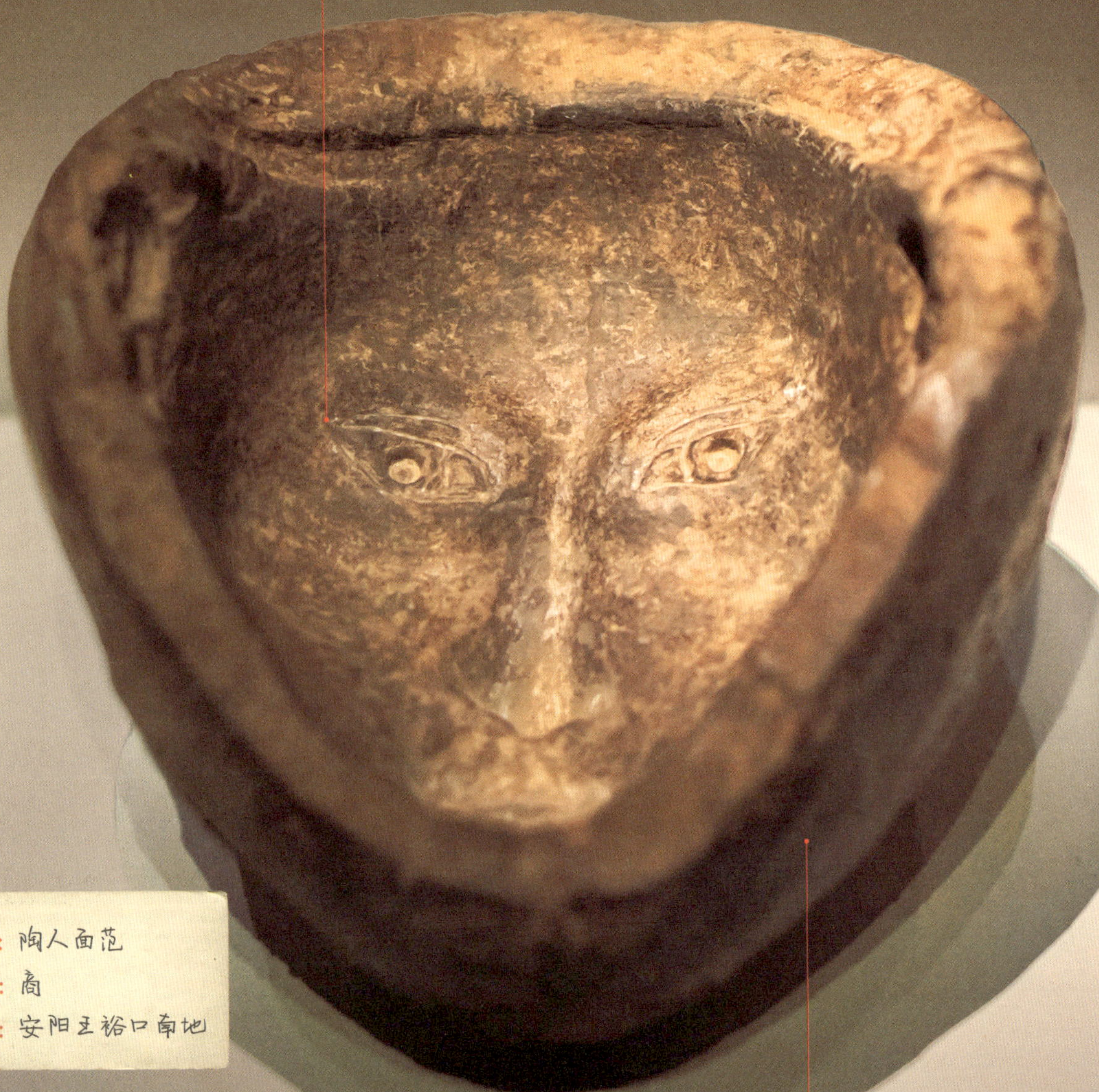

国宝名称： 陶人面范
所属年代： 商
出 土 地： 安阳王裕口南地

这件陶人面范是铸造青铜器时用于塑造面部的陶质模具。在商代的青铜器铸造中，陶范是非常重要的工具。一些陶人面范出土于殷墟等商代遗址，为研究商代的青铜铸造工艺和当时的人物形象等提供了珍贵资料。在商代，可以专门为某人形象制作陶范并据此制作面具，可见所塑造的人物在商代社会的重要地位。

发掘文物的专家表示，这件文物并未被使用，完整没有缺口，同时没有浇筑口，可能是一件塑造人面的母模。在商代遗址中出土有众多人面及兽面，是此时期常见的装饰品。

国宝放大镜

陶人面范采用写实的人面形象，五官比例基本协调，有清晰的眉弓、眼睛、鼻子、嘴巴和耳朵等。眼睛较大，眼眶轮廓明显，目视前方；鼻子挺直，有明显的鼻梁和鼻翼；嘴巴微微张开；耳朵的刻画也较为细致，能看到耳轮等细节。

人物高颧骨、尖下颌，嘴唇较厚。在安阳西北岗王陵区出土的青铜面具同样具有类似特征，与商代四川地区三星堆出土的青铜面具有着明显区别。

面具模型

小提示

范铸法是商代铸造青铜器最常用的方式之一，如后母戊鼎等大型青铜器皆是用此法制成的。其做法是先将器物做成泥塑，再在外面做陶范，制好陶范后将泥塑削薄一层，在泥塑与陶范间注入铜液，待冷却后除去内外范，青铜器便制作完成了。

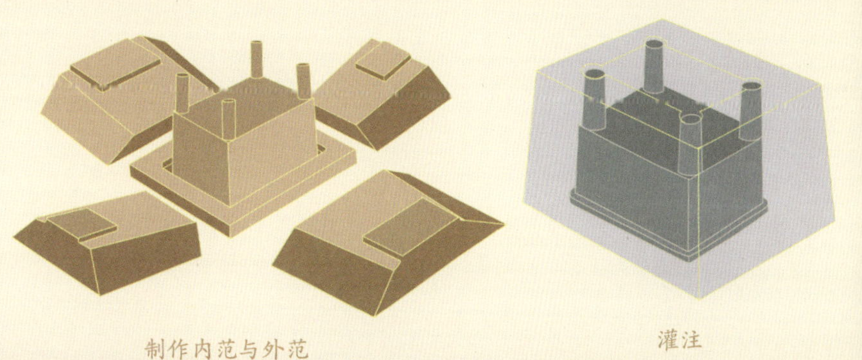

陶人面盖

陶盖上的喜怒哀乐

国宝名称：陶人面盖
所属年代：商
出 土 地：安阳后岗M5

这件陶人面盖为泥质灰陶所制，为一件壶盖，围绕中心部位的鸟形盖钮四周装饰四个表情不同的陶人面，人面下方刻画两道弦纹。整个陶人面盖相对于同时期的青铜器、玉器的精巧塑造，显得质朴自然，具有返璞归真之美。四种不同的表情仿佛人的“喜怒哀乐”，是一件融入情感的优秀作品。

陶盖呈半圆球形，中心部位为一鸟形盖钮，围绕陶鸟下方四周装饰了四个陶人面，表情不一，似乎代表着人的四种不同的情绪。这让一件用于日常生活的平常壶盖充满了趣味性，展现了古人对于生活的热爱。

在陶人面盖之上的人面侧面可以看到衔接与擦按的痕迹，因此人面与小鸟应为贴塑而成。贴塑是中国制造陶器的重要手法，即先用手或工具塑造局部，再粘贴于器身一同烧制。

丰富的表情

四个人面的表情十分可爱，人面眼睛部分以木棍或手指戳孔洞表现，亦有画出的横线，以表现眯着的笑眼，从这些质朴的塑造让我们看到了商代人丰富的精神世界。

这件陶人面盖为灰陶质地，灰陶是自新石器时代以来制作陶器的一大品类，灰陶的材质多为泥质和夹砂质。商代灰陶不仅用于日常生活，还广泛应用于祭祀、丧葬等礼仪活动中。

金箔
永恒的贵金属

国宝名称：金箔
所属年代：商
出 土 地：安阳大司空M226

除却数量庞大的商代青铜器、甲骨、玉器等，殷墟还出土了一部分商代金器，这些金器以纤薄的金箔为主。这些金箔大多经过了锤揲、剪切、抛光等多种技术手法，更多作为其他器物上的装饰和点缀。金箔颜色历经数千年仍金光灿灿。同时，考古人员在对金箔成分进行分析的过程中发现，金箔的晶粒大小不一，且晶粒界平整，说明商代已经有了结晶退火技术，为研究商代金器制作提供了依据。

尽管金箔出土时已残破，但仍可看出原本形状为十分规整的圆形，这展现出了商代成熟的金属测量与切割技术。

出土的金箔非常轻薄，展现出当时较高的锤揲工艺水平。经过专业测量和观察，其厚度均匀，说明在制作过程中工匠对工艺的把控较为精准。

小提示

商周时期的金沙遗址为四川地区继三星堆遗址后的又一大古蜀遗址，在此出土的太阳神鸟金饰更具有节奏感，表明这一时期的黄金技术已达到较成熟的水平。

太阳神鸟金饰（商周，成都金沙遗址博物馆）

金箔表面较为光滑，有可能经过了简单的打磨处理，这表明商代工匠在金器加工过程中注重对金箔表面质感的处理，以达到更好的装饰效果。其原料可能来源于河南的古代矿脉遗址，反映了商代在矿业开发方面已经有了一定的发展。

同一地区还出土了众多其他形状的金箔碎片，这些金箔大多呈片状，可能用于包裹或粘贴在其他材质的物品表面，起到装饰作用。

器物小知识

金光闪闪的商周时期金器

商周时期，中国金银器的制作处于初级阶段，其器型较小，纹饰也较为简单，多用作人体装饰或其他器物的附属装饰。这一时期的金银器主要分布在西北、中原和西南地区，风格南北差异明显，反映了不同区域间价值观念和信仰、习俗的差异。当时的人们已懂得使用范铸、锤揲、锻打、錾刻、镂空、剪切等工艺制作金器。

金杖（商，三星堆博物馆）

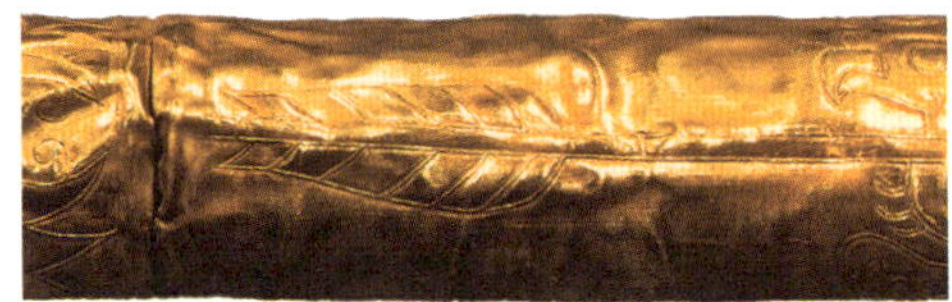

象征权力的金杖

在已知的中国商代金器中，出土于四川广汉三星堆一号祭祀坑的这件金杖体量最大。它是以金条捶打成金箔后包卷在木杆上制成的，金杖上还刻有人形纹、鱼形纹等精美纹饰。

金箔虎形饰（商，三星堆博物馆）

金质的小老虎

这件金箔虎形饰是用金箔经过捶拓工艺制成的，老虎的头部高高抬起，嘴巴张开，仿佛在发出震撼的咆哮，而眼部的镂空设计，更赋予了它深邃的目光。

完整金面具（商，三星堆博物馆）

精致的金面具

这件完整的金面具是在三星堆遗址祭祀区三号坑中被发掘的。保存完好，几乎未受任何损害。

金器的装饰工艺

拓展话题

从原始社会偶然拾得的天然金块，到如今工艺精湛的金饰、器具，金器工艺的发展宛如一部生动的史书，随着时代的发展，金器也成为贵族展现身份地位的重要装饰品。那么这些精美的金器都是依靠哪些工艺制作而成的呢？让我们欣赏一下吧。

錾花卉纹金托盘（金，首都博物馆）

錾花

此工艺须在金质器物初具大形并放入支撑物后，于器表使用多种类型的錾刀、小锤、锉刀等工具手工完成。錾刀种类极多，比如平錾所用錾刀有直口錾、弯钩錾和铩錾、印錾等，凸錾所用錾刀有托錾和踩錾等。

金兽（西汉，南京博物院）

锤揲

锤揲与铸造同为金器的原始加工工艺，但锤揲不需要熔化原材料去“铸”，而是采用“锻”的方式，充分利用金质地软、延展性好的特点，将其置于相对柔软的底衬上反复捶打，制成所需的各种器型。

镂空工艺

镂空工艺又被称作“镂刻”“镂雕”或“透雕”，于金原材料上先錾出纹饰，再以脱錾（錾刀的一种）沿纹饰边缘线将地子脱下，只保留纹饰本身。

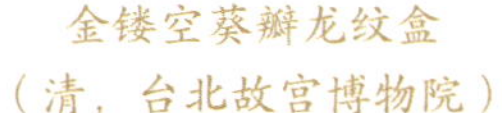

金镂空葵瓣龙纹盒

（清，台北故宫博物院）

河南省其他博物馆名录（节选）

河南博物院

郑州博物馆

新郑博物馆

洛阳博物馆

开封博物馆

南阳市博物院

平顶山博物馆

新乡市博物馆

濮阳博物馆

信阳博物馆

焦作市博物馆

周口市博物馆

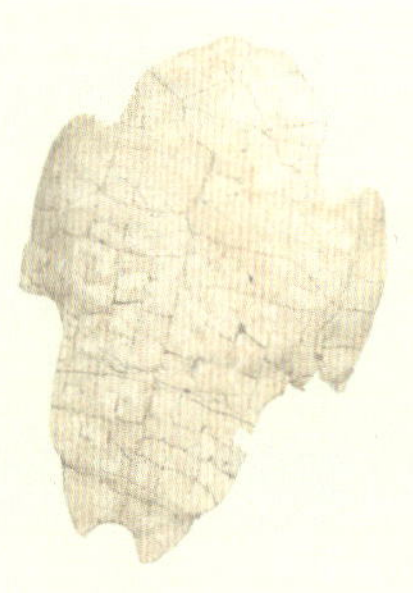

三门峡博物馆

鹤壁市博物馆

许昌博物馆

漯河市博物馆

商丘博物馆

驻马店市博物馆

安阳博物馆

河南省美术馆

河南自然博物馆

郑州市华夏文化艺术博物馆

洛阳市隋唐城遗址博物馆

汉魏洛阳故城遗址博物馆

洛阳古墓博物馆

洛阳周公庙博物馆

二里头夏都遗址博物馆

南阳市汉画馆

龙门博物馆

从翻开这本书的那一刻起，我们就像穿越回了三千多年前的殷商王朝。那些古老的文物静静陈列在展柜里，仿佛在诉说着往昔的辉煌。这件“子其入学”刻辞卜甲的主人公则是武丁的儿子孝己，内容则是占卜王子入学的相关事宜。这件甲骨不仅证实了文献中记载的商代“大学”，而且可见商代贵族对于教育的重视，为研究商代教育提供了直接证据。

『子其入学』刻辞卜甲

图书在版编目（CIP）数据

殷墟博物馆 / 红糖美学著. -- 武汉：华中科技大学出版社，2025. 6. --（中国博物馆全书）.
ISBN 978-7-5772-1814-4

Ⅰ. G269.276.13

中国国家版本馆CIP数据核字第2025FG9204号

中国博物馆全书. 第三辑 殷墟博物馆 红糖美学 著

Zhongguo Bowuguan Quanshu. Di-san Ji Yinxu Bowuguan

出版发行：华中科技大学出版社（中国·武汉） 电话：（027）81321913
华中科技大学出版社有限责任公司艺术分公司 （010）67326910-6023
出 版 人：阮海洪

责任编辑：张 颖 刘昊威 夏瑞付 林晓春 封面设计：魏 薇
责任监印：赵 月 张 丽

制　　作：王玉平
印　　刷：河北朗祥印刷有限公司
开　　本：889mm × 1194mm 1/16
印　　张：60
字　　数：663千字
版　　次：2025年6月第1版第1次印刷
定　　价：998.00元（全10册）